CB005943

AGATHA CHRISTIE

ASSASSINATO NO EXPRESSO DO ORIENTE

Um caso de Hercule Poirot

Tradução
Archibaldo Figueira

Rio de Janeiro, 2022

Diretora editorial: Raquel Cozer
Gerente editorial: Alice Mello
Editor: Ulisses Teixeira
Copidesque: Gustavo Penha, José Grillo e Fátima Fadel
Projeto gráfico de miolo: Leandro B. Liporage
Diagramação: Leandro Collage
Projeto gráfico de capa: Maquinaria Studio

CIP-Brasil. Catalogação na fonte
Sindicato Nacional dos Editores de Livros, RJ

C479a

Christie, Agatha, 1890-1976
Assassinato no Expresso do Oriente : um caso de Hercule Poirot / Agatha Christie ; tradução de Archibaldo Figueira. - 1. ed. - Rio de Janeiro: HarperCollins Brasil, 2017.

Tradução de: Murder on the Orient Express
ISBN 9788595080638

1. Ficção policial inglesa. I. Figueira, Archibaldo. II. Título.
CDD: 823
CDU: 821.111-3

Rua da Quitanda, 86, sala 218 – Centro – 20091-005
Rio de Janeiro – RJ – Brasil
Tel.: (21) 3175-1030

Printed in China.

Sumário

Parte I
OS FATOS

1 — Um passageiro importante do Taurus Express 9
2 — O hotel Tokatlian........ 17
3 — Poirot recusa um caso 23
4 — Um grito na noite 29
5 — O crime 32
6 — Uma mulher? 42
7 — O corpo 48
8 — O rapto de Daisy Armstrong........ 57

Parte II
OS TESTEMUNHOS

1 — O depoimento do condutor da Wagon Lit 63
2 — O depoimento do secretário 67
3 — O depoimento do valete........ 71
4 — O depoimento da dama americana........ 76
5 — O depoimento da dama sueca 83
6 — O depoimento da princesa russa 87
7 — O depoimento do conde e da condessa Andrenyi 93
8 — O depoimento do coronel Arbuthnot 97
9 — O depoimento de Mr. Hardman 104
10 — O depoimento do italiano........ 109
11 — O depoimento de Miss Debenham 112

12 — O depoimento da dama de companhia alemã 117
13 — Resumo dos depoimentos dos passageiros 122
14 — A pista da faca 127
15 — Indícios nas bagagens 134

Parte III
HERCULE POIROT PARA E PENSA

1 — Qual deles? 149
2 — As perguntas 154
3 — Uma série de detalhes 159
4 — A mancha de tinta num passaporte húngaro 166
5 — O nome de batismo da princesa Dragomiroff 171
6 — Uma segunda entrevista com Arbuthnot 174
7 — A identidade de Mary Debenham 177
8 — Mais revelações surpreendentes 180
9 — Poirot propõe duas soluções 185

Sobre a autora 197

PARTE I

OS FATOS

1
Um passageiro importante do Taurus Express

Eram cinco horas de uma manhã de inverno na Síria. Ao longo da plataforma de Aleppo, o trem pomposamente anunciado nos guias turísticos como o Taurus Express: carro-restaurante, carro-dormitório, dois vagões com poltronas para os passageiros.

À subida para o carro-dormitório, um jovem tenente francês, resplandecente em seu uniforme, conversava com um homem pequenino, agasalhado até as orelhas, e do qual tudo que se podia ver era a ponta avermelhada do nariz e as pontas de um bigode curvo, voltadas para cima.

O frio estava de congelar, e a tarefa de apresentar as despedidas a uma visita importante não era de causar inveja a ninguém. Mas o tenente Dubosc a desempenhava resolutamente, com frases graciosas num francês polido. Não que ele tivesse qualquer noção sobre o que se passava. Tinha havido rumores, é claro, como sempre ocorre nesses casos. O general — o *seu* general — ficara dia a dia mais irritado. Foi quando chegou o belga, parece que da Inglaterra. Uma semana se passara — semana de curiosa tensão. E certas coisas haviam acontecido. Um oficial muito distinto se suicidara, outro se demitira. Rostos angustiados subitamente perderam a sua angústia, certas precauções militares foram relaxadas. E o general — o general do tenente Dubosc — de repente pareceu ter ficado dez anos mais jovem.

Dubosc recordou parte da conversa que ouvira entre o general e o estrangeiro:

— Você nos salvou, *mon cher* — dissera ele, emocionado, os grandes bigodes brancos tremendo. — Você salvou a honra do Exército francês e evitou um grande derramamento de sangue! Como poderia agradecer-lhe por ter atendido ao meu chamado? Por ter vindo tão longe...

O estrangeiro (seu nome, M. Hercule Poirot) dera uma resposta adequada, na qual incluiu a pergunta: "Mas o senhor não se lembra de ter-me salvo a vida uma vez?"

O general fez outra observação adequada, afastando qualquer mérito pelo que fizera no passado e, sem mais falar em França, Bélgica, glória, honra ou coisas semelhantes, os dois se abraçaram, encerrando a conversa.

O tenente Dubosc permanecia sem saber nada sobre o que significava aquilo tudo, mas, como recebera a missão de acompanhar M. Poirot até o Taurus Express, tratava de cumpri-la com todo aquele zelo e dedicação que caracterizam um oficial com uma carreira promissora pela frente.

— Hoje é domingo — disse o tenente — e amanhã à tarde o senhor estará em Istambul.

Aquela não era a primeira vez que fazia tal observação. As conversas de plataforma, antes da partida de um trem, costumam ser repetitivas.

— Isso mesmo — concordou M. Poirot.

— E o senhor, creio eu, pretende demorar-se por alguns dias, não?

— *Mais oui*... Nunca estive antes em Istambul... Seria uma pena passar por lá *comme ça*. — Estalou os dedos, significativamente. — Não há pressa. Ficarei lá, como turista, por alguns dias.

— A igreja de Santa Sofia é muito bela — observou o tenente, embora jamais tivesse estado lá.

Um vento frio passou sibilando pela plataforma. Os dois homens tremeram. O tenente Dubosc olhou de relance para seu relógio. Cinco para as cinco, só cinco minutos mais!

Notando que o outro reparara no seu movimento, tratou de retomar a conversa:

— Pouca gente viaja nesta época do ano — observou, lançando um olhar para as janelas do carro-dormitório, pouco acima deles.

— Isso mesmo — concordou M. Poirot.

— Faço votos que o senhor não fique gelado no Taurus!

— Isso acontece?

— Tem acontecido, sim, mas este ano ainda não.

— Façamos votos, então — disse Poirot. — As previsões do tempo da Europa não são boas.

— Muito ruins. Há muita neve nos Bálcãs.

— Na Alemanha também, ouvi dizer.

— *Eh bien* — observou o tenente Dubosc, percebendo que outra pausa estava para acontecer. — Amanhã às 7h40 da noite o senhor estará em Constantinopla.[1]

— Sim — concordou M. Poirot, com desespero. — A igreja, ouvi dizer, é muito bonita.

— Magnífica, creio eu.

Pouco acima, a persiana de uma das janelas do carro-dormitório se abriu e uma moça olhou para fora.

Mary Debenham tinha dormido pouco desde que deixara Bagdá na quinta-feira anterior. Não tinha dormido o suficiente nem no trem para Kirkuk, nem na casa de repouso de Mosul, nem na noite seguinte, novamente no trem. Agora, cansada de estar acordada naquela cabina superaquecida, levantava-se e observava o exterior.

Isso deve ser Aleppo. Nada para ver, é claro. Só uma longa e mal-iluminada plataforma, onde, de algum lugar, vinha o barulho de uma furiosa altercação em árabe. Dois homens falando francês, logo abaixo da janela. Um, oficial francês; outro, um homem pequenino com bigodes enormes. Ela sorriu sem entusiasmo. Jamais vira uma pessoa tão agasalhada. Deveria estar muito frio lá fora. Esta era a razão de terem aquecido tanto o trem. Tentou forçar a janela para baixo, mas ela não desceu.

O despachante aproximou-se dos dois homens. O trem ia partir, avisou. Melhor o senhor subir. O homem pequeno tirou o chapéu, mostrando uma cabeça oval. Apesar de suas preocupações, Mary Debenham sorriu. Um sujeito ridículo, aquele. O tipo de homem que ela jamais consideraria seriamente.

[1] Atual Istambul. (N.E.)

O tenente Dubosc dizia suas frases de despedida. Havia pensado nelas de antemão, guardando-as até o último minuto. Um belo fraseado, muito polido.

Para não ser sobrepujado, M. Poirot respondeu no estilo.

— A bordo, Monsieur — disse o despachante.

Com um ar de infinita relutância M. Poirot subiu ao trem, o despachante atrás dele. Acenou. O tenente Dubosc fez uma continência. O trem, guinchando nos trilhos, começou a movimentar-se lentamente.

— *Enfin!* — murmurou Hercule Poirot.

— Brrrrr! — exclamou o tenente, sentindo nos ossos o ar gelado.

— *Voilà*, Monsieur. — O condutor apontou, num gesto dramático, a beleza de sua cabina e a perfeição com que sua bagagem fora disposta. E prosseguiu:

— A pequena valise, Monsieur, eu a coloquei aqui...

Sua mão estendida era bem sugestiva. M. Poirot colocou nela uma cédula dobrada.

— *Merci*, Monsieur. Já tenho seus bilhetes e preciso, por favor, do passaporte. Sua viagem termina em Istambul, certo?

M. Poirot fez que sim com a cabeça.

— Não há muitos passageiros no trem, imagino.

— *Non*, Monsieur. Tenho apenas dois outros passageiros, ambos ingleses. Um coronel da Índia e uma jovem senhora de Bagdá. O senhor quer alguma coisa?

Poirot pediu uma garrafa pequena de Perrier. Cinco da manhã é um horário aborrecedor para tomar um trem. Faltavam ainda duas horas até clarear. Lembrando-se da noite maldormida e da missão delicada que acabava de cumprir com êxito, encostou-se num canto e adormeceu. Quando acordou, eram 9h30. Dirigiu-se ao carro-restaurante, para um café quente.

Havia apenas um passageiro, naquele momento, a moça inglesa da qual o condutor falara. Era morena, alta e esguia, talvez uns 28 anos de idade. Havia um quê de eficiência na sua maneira de tomar o desjejum e no modo de pedir mais café ao garçom, o que revelava seu conhecimento do mundo e das viagens. Usava um traje escuro de viagem, feito de um tecido eminentemente adequado à atmosfera aquecida do trem. Sem mais o que fazer, M. Poirot distraiu-se estudando-a disfarçadamente.

"Ela era", pensou, "o tipo de moça que sabe tomar conta de si mesma com facilidade, esteja onde estiver. Tinha equilíbrio e eficiência." Ele chegou a gostar da regularidade das suas feições e da delicada palidez de sua pele. Apreciou o negro dos cabelos ondulados e os olhos frios, impessoais, cinzentos. Mas era apenas um pouco eficiente demais para merecer ser chamada daquilo que ele considerava *jolie femme*.

Outra pessoa entrou no restaurante. Era um homem alto de seus quarenta ou cinquenta anos, de figura magra e pele morena, com os cabelos das têmporas embranquecendo.

— O coronel da Índia — disse Poirot a si mesmo.

O recém-chegado inclinou-se na direção da moça.

— Bom dia, Miss Debenham.

— Bom dia, coronel Arbuthnot.

O coronel estava de pé, com uma das mãos na cadeira em frente à dela.

— Importa-se?

— Claro que não. Sente-se.

— A senhorita sabe, o desjejum não é bem uma refeição para conversas...

— Compreendo. Mas eu não mordo.

O coronel sentou-se.

— Rapaz — chamou —, traga-me ovos e café.

Seus olhos pousaram um momento sobre Hercule Poirot, mas com indiferença. Conhecendo bem os ingleses, Poirot imaginou o que ia no pensamento do outro: apenas mais um maldito estrangeiro.

Fazendo justiça à sua nacionalidade, os dois ingleses não conversavam muito. Apenas trocavam uma palavra ou outra, e logo a moça levantou-se, dirigindo-se à cabina.

No almoço, os dois voltaram a sentar-se à mesma mesa, e mais uma vez ignoraram o terceiro passageiro. Mas sua conversa foi mais animada que no café. O coronel Arbuthnot falava de Punjab, e de vez em quando fazia uma ou outra pergunta sobre Bagdá, sendo informado de que a moça trabalhara como governanta. Ao longo da conversa, descobriram que tinham alguns amigos comuns, o que imediatamente os tornou mais próximos e menos secos. Falaram de um tal de Tommy e de um Jerry Qualquer Coisa. O coronel perguntou se ela ia diretamente à Inglaterra ou se pararia um pouco em Istambul.

— Não, vou direto.

— Mas não é uma pena?

— Fiz esta viagem na vinda, há dois anos, e passei três dias em Istambul.

— Ah, sim. Mas fico contente por estar indo diretamente à Inglaterra, porque também vou. — O coronel, ao dizer isso, inclinou-se um pouco e seu rosto ficou levemente mais corado.

Hercule Poirot pensou: "Oportunista, o nosso coronel... viajar de trem é tão perigoso quanto por mar!"

Miss Debenham limitou-se a dizer que isso seria bom. E o fez num tom de reprimenda.

O coronel — Hercule Poirot observou — acompanhou-a até sua cabina. Pouco depois, paravam para apreciar a magnífica paisagem que se mostrava ao Taurus. Ao passarem pelos Cilician Gates, a moça, ao lado do coronel no corredor, deixou escapar um suspiro. Poirot, perto deles, pôde ouvi-la dizer baixinho:

— É tão lindo! Eu... eu gostaria...

— Sim?

— Gostaria de poder aproveitar tudo aquilo.

Arbuthnot não respondeu. Seu rosto adquiriu um aspecto mais austero e brutal.

— Agradeceria a Deus que você estivesse fora de tudo isso.

— Apresse-se, por favor. Apresse-se.

— Oh, mas é claro!

O coronel lançou um olhar aborrecido na direção de Poirot, e prosseguiu:

— Não me agrada a ideia de vê-la como uma governanta, à disposição do estalar dos dedos de mães dominadoras e seus filhos mimados.

Ela deu uma gargalhada, sem poder controlar-se, e disse:

— Você não deve pensar assim. A governanta do tipo gata borralheira tornou-se hoje um mito. Posso garantir-lhe que, comigo, os patrões é que têm medo de serem incomodados *por mim*.

Calaram-se. Arbuthnot talvez tivesse ficado envergonhado do conceito precipitado. Poirot disse para si mesmo que acabava de ver uma pequena comédia. E, mais tarde, teria de lembrar-se dela.

Cerca de 23h30, o trem chegou a Konya. Os dois ingleses saíram para esticar as pernas, caminhando para cima e para baixo ao longo da plataforma gelada. Poirot passou algum tempo observando da janela a movimentação, e decidiu que um pouco de ar fresco não seria de todo mal. Vestiu todos os agasalhos de que dispunha, incluindo as galochas, e desceu à plataforma, caminhando na direção da locomotiva. Ouvindo vozes, percebeu dois vultos perto de um vagão de carga. Arbuthnot falava:

— Mary...

— Agora não. Por favor, não. Quando tudo estiver acabado, quando tudo estiver para trás, então...

Poirot deu meia-volta, discretamente. Pensou como era difícil, naquela voz, reconhecer a frieza de Miss Debenham, e achou tudo muito estranho. No dia seguinte, ficou perguntando a si mesmo qual seria a razão daquela discussão. Os dois falavam-se pouco, e a moça, com olheiras profundas, parecia angustiada.

Cerca das 14h30, o trem parou. Das janelas, viam-se as cabeças de várias pessoas. Um pequeno grupo de homens, do lado de fora, discutia e apontava para alguma coisa debaixo do carro-restaurante. Poirot saiu da cabina e perguntou ao camareiro o que havia acontecido. Ao ter a resposta, voltou a cabeça e quase esbarrou em Miss Debenham, que estava bem atrás dele. A moça, quase sem poder respirar, perguntou-lhe em francês:

— O que houve? O que está nos retendo?

— Nada, Mademoiselle. Apenas alguma coisa que pegou fogo sob o carro-restaurante. Nada de sério. Eles estão consertando tudo agora. Não há qualquer perigo, posso garantir.

Miss Debenham gesticulou como se pouco se importasse com a ideia do perigo.

— Sim, sim, compreendo. Mas o tempo!

— O tempo?

— Sim, isso vai nos atrasar...

— Possivelmente.

— Mas não podemos ter qualquer atraso! O trem chega às 18h55 e ainda se tem de cruzar o Bósforo para pegar o Expresso do Oriente, do outro lado, às nove horas. Se houver um atraso de uma ou duas horas, perderemos a conexão.

— É bem possível.

Poirot olhou-a com curiosidade. A mão pousada na janela não estava firme, seus lábios tremiam.

— Isso a perturba muito, Mademoiselle?

— Sim, muito. Preciso pegar aquele trem.

Miss Debenham afastou-se de Poirot e foi ao encontro do coronel Arbuthnot, no outro extremo do corredor. Sua apreensão, entretanto, era injustificada. Dez minutos após, o trem retomou a viagem. Chegaram a Haydapassar com apenas cinco minutos de atraso, recuperando parte do tempo perdido.

O Bósforo estava bravio, e Poirot não gostou da travessia. Separara-se dos companheiros de viagem e desde então os perdera de vista. Chegando à ponte Galata, rumou diretamente para o hotel Tokatlian.

2
O hotel Tokatlian

No Tokatlian, Hercule Poirot pediu um apartamento à recepção e encaminhou-se à portaria, em busca da correspondência. Três cartas e um telegrama o esperavam. Suas sobrancelhas se elevaram um pouco ao ver o telegrama. Afinal, aquilo era algo inesperado. Abriu-o com a calma habitual. A mensagem datilografada era clara: "Tudo o que previa sobre o Caso Kassner aconteceu inesperadamente. Favor regressar imediatamente."

— *Voilà*, que isso é de pasmar — murmurou, olhando o relógio na parede. E voltou ao chefe da portaria:

— Tenho de partir esta noite. A que horas sai o Simplon Orient?

— Às nove, Monsieur.

— Poderia arranjar-me um leito?

— Certamente, Monsieur. Não há problema nesta época do ano. Os trens andam quase vazios. Primeira classe, ou segunda?

— Primeira.

— *Très bien*, Monsieur. Até onde o senhor vai?

— Londres.

— *Bien*, Monsieur. Vou arranjar uma passagem para Londres e reservar-lhe um leito no carro-dormitório do *coach* Istambul-Calais.

Poirot olhou novamente para o relógio. Eram 19h50.

— Há tempo para jantar?

— Estou certo que sim, Monsieur.

O pequenino belga agradeceu com um aceno de cabeça, foi à recepção, cancelou a reserva do apartamento e atravessou o salão, seguindo para o restaurante. Fazia o pedido ao garçom, quando uma mão tocou-lhe o ombro, e, de trás, alguém lhe disse:

— Ah, meu velho, que prazer inesperado!

Era um homem idoso, atarracado, os cabelos cortados *en brosse*. Sorria prazerosamente. Poirot levantou-se.

— M. Bouc!

— M. Poirot!

Bouc, um belga, era diretor da Compagnie Internationale des Wagons Lits. Há muitos anos conhecia a ex-estrela da Força Policial Belga.

— Está bem longe de casa, *mon cher.*

— Um pequeno caso na Síria.

— Ah! E quando volta?

— Esta noite.

— Excelente, eu também. Quero dizer, vou até Lausanne, onde tenho alguns negócios. O senhor viaja no Simplon Orient?

— Sim. Acabo de pedir que me arranjem um leito. Pensava em ficar alguns dias por aqui, mas recebi um telegrama chamando-me à Inglaterra em face de uma coisa importante.

— Ah! *Les affaires... les affaires!* Mas o senhor, o senhor está no alto, *mon vieux*!

Hercule Poirot tentou parecer modesto. Bouc sorriu, dizendo que mais tarde voltariam a se encontrar. O detetive concentrou-se no trabalho de manter os bigodes fora da sopa. Acabando, olhou à sua volta, aguardando o segundo prato. Havia uma meia dúzia de pessoas no restaurante. Entre elas, duas pareceram-lhe de especial interesse. Sentavam-se não muito longe. O mais jovem era um americano simpático de uns trinta anos. Mas não fora ele, e sim o seu companheiro, que despertara a atenção do detetive. Tratava-se de um homem de uns sessenta ou setenta anos que, de perto, tinha o aspecto suave de um filantropo. Cabeça ligeiramente calva, testa alta, sorriso mostrando a brancura dos dentes artificiais, tudo indicava uma personalidade benevolente, à exceção de uns olhos pequenos, fundos, estudiosos. E não era só isso: quando o homem, observando qualquer coisa ao companheiro, deu uma espiada em volta, seus olhos pousaram por alguns segundos sobre Poirot, e, naquele momento, mostraram-se tensos e maliciosos. Levantou-se:

— Pague a conta, Hector — disse, num tom seco, mas suave, perigoso.

Quando Poirot voltou a encontrar-se com o amigo, no saguão, os dois preparavam-se para deixar o hotel. A bagagem estava sendo trazida para baixo, sob a supervisão do mais jovem.

— Tudo pronto agora, Mr. Ratchett — disse ele, abrindo a porta de vidro.

O mais velho concordou, num resmungo, e saiu.

— *Eh bien* — disse Poirot —, que acha daqueles dois?

— São americanos — respondeu Bouc.

— Certamente são americanos. Mas perguntei o que achava deles.

— O mais jovem parece muito simpático.

— E o outro?

— Para dizer-lhe a verdade, meu amigo, não me importei muito com ele. Deu-me uma impressão desagradável. E a você?

Poirot pensou um pouco, e respondeu:

— Quando passou por mim no restaurante, tive uma impressão muito estranha. Foi como se um animal selvagem, um animal muito selvagem, você compreende, passasse por mim.

— E ainda assim ele parecia ser muito respeitável...

— *Précisément!* O corpo, a jaula, tudo muito respeitável. Mas um animal sempre alerta, olhando tudo de trás das grades.

— Você é muito engraçado, *mon vieux* — disse o M. Bouc.

— Talvez. Mas não pude me livrar da sensação de que o diabo tivesse passado bem perto de mim.

— Aquele respeitável cavalheiro americano?

— Aquele respeitável cavalheiro americano.

— Bem — disse Bouc, afável —, há muitos diabos à solta pelo mundo.

Naquele momento, a porta de vidro abriu-se, e o chefe da portaria, num ar preocupado, apareceu.

— Extraordinário, Monsieur! Não há um só leito disponível na primeira classe daquele trem.

— *Comment?* — bradou Bouc. — Mas nesta época do ano? Ah! Com certeza há uma caravana de jornalistas... ou de políticos?

— Não sei, meu senhor — disse o empregado do hotel, respeitosamente. — Mas as coisas estão realmente nesse pé.

— Bem, bem — Bouc voltou-se para Poirot —, não se preocupe, meu amigo. Arranjaremos alguma coisa. Há sempre uma cabina, a número 16, que não pode ser ocupada. O condutor providenciará tudo — sorriu, olhou para o relógio na parede —; mas venha, é hora de partir.

Na estação, M. Bouc foi recebido respeitosamente pelo condutor no uniforme marrom de Wagon Lit.

— Boa noite, Monsieur. Sua cabina é a número 1.

Os carregadores começaram a levar a bagagem para o vagão. Os letreiros proclamavam o seu destino:

ISTAMBUL-TRIESTE-CALAIS

— Ouvi dizer que o senhor está lotado hoje.

— É incrível, Monsieur. Parece que todo o mundo resolveu viajar esta noite!

— Tanto faz, mas preciso arranjar lugar para este cavalheiro. É um amigo meu. Ele pode ficar com a número 16.

— Está ocupada, Monsieur.

— O quê? A número 16?

Estabeleceu-se um clima de compreensão, e o condutor sorriu. Era um homem alto, amarelado, de meia-idade.

— Mas sim, senhor. Como lhe disse, estamos lotados, lotados...

— Afinal, o que está havendo? — perguntou Bouc, irritado. — Há uma conferência em algum lugar? É uma caravana?

— Não, Monsieur. Puro acaso. Simplesmente parece que todo mundo escolheu esta noite para viajar.

Bouc estalou a língua, aborrecido.

— Em Belgrado — disse — haverá o noturno de Atenas. Há também o *coach* Bucareste-Paris, mas não chegaremos a Belgrado antes das oito de amanhã. O problema é para hoje. Há algum leito vago na segunda classe?

— Há um, Monsieur...

— Bem, então...

— Mas só pode ser tomado por uma mulher. Já existe uma senhora alemã na cabina, uma dama de companhia.

— *Là, là* — disse Bouc —, isto é horrível!

— Não se aborreça, meu amigo — interrompeu Poirot —, viajarei num carro comum.

— Ainda não, ainda não — retrucou Bouc, dirigindo-se de novo ao condutor. — Todos os passageiros já chegaram?

— É verdade — lembrou-se o homem —, há um passageiro que ainda não se apresentou.

— Qual?

— Leito número 7, segunda classe. O cavalheiro ainda não chegou, e já são 20h56.

— Quem é ele?

— Um inglês — respondeu o condutor, consultando a lista. — Mr. Harris.

— Um nome de bom presságio — disse Poirot. — Li Dickens: Monsieur Harris não chegará.

— Ponha a bagagem de Monsieur na número 7 — ordenou Bouc. — E se esse Mr. Harris chegar, diga-lhe que está muito atrasado e os leitos não podem ser retidos por tanto tempo. Daremos um jeito de um modo ou de outro. Quem se importa com Mr. Harris?

— Como quiser, Monsieur — respondeu o condutor, e instruiu o carregador sobre a bagagem. Em seguida, deu passagem para que Poirot subisse ao trem.

— *Tout à fait au bout*, Monsieur — indicou —, a penúltima cabina.

Poirot atravessou o corredor com dificuldade. Todos os passageiros estavam fora de suas cabinas. Seus *pardons*, ditos com polidez, eram ouvidos com a regularidade de um relógio. Finalmente, chegou à cabina. Mas lá dentro, mexendo numa mala, estava o americano jovem e alto do Tokatlian. Demonstrou mau humor à chegada do detetive.

— Com licença — observou —, mas o senhor parece ter-se enganado. *Je crois que vous avez un erreur.*

Poirot respondeu em inglês:

— O senhor é Mr. Harris?

— Não, meu nome é MacQueen. Eu...

O condutor da Wagon Lit interrompeu, por sobre o ombro de Poirot. Num tom apologético, quase sem ar, disse:

— Não há mais leitos disponíveis, senhor. O cavalheiro terá de ficar aqui.

O condutor levantou a janela, ao mesmo tempo em que falava, e começou a arrumar a bagagem de Poirot, que se divertia com a confusão. Aquele passageiro certamente prometera ao condutor uma boa gorjeta se pudesse ficar só na cabina. Mas a mais eficiente das gorjetas de nada vale quando o diretor da companhia está a bordo e sai dando ordens.

O condutor retirou-se depois de colocar as malas nas prateleiras.

— *Voilà*, Monsieur — apontou —, tudo arrumado. O seu leito é o de cima, número sete. Partiremos num minuto.

Saiu depressa, e Poirot acomodou-se afinal na cabina.

— Coisa rara, esta — observou num tom amável —, um condutor de Wagon Lit arrumando a bagagem! Isto é inédito!

O americano sorriu. Evidentemente, já se passara o aborrecimento, e ele provavelmente decidira que de nada adiantava irritar-se. Melhor seria encarar o problema filosoficamente.

— O trem está realmente lotado — disse.

Um apito soou, ouviu-se o grito comprido, melancólico, do motor. Os dois homens foram ao corredor. Lá fora, alguém gritava:

— *En voiture!*

— Estamos partindo — disse MacQueen.

Mas o trem não saíra ainda. Um outro apito soou.

— Se o senhor — disse o americano — preferir o leito de baixo, que é mais confortável, está o.k. para mim.

Sujeito simpático.

— Não, não — protestou Poirot —, eu jamais o incomodaria.

— Mas seria bom...

— O senhor é muito amável... É apenas uma noite — explicou Poirot — até Belgrado.

— Ah, sim. O senhor fica em Belgrado...

— Não exatamente. O senhor sabe...

Houve um súbito sacolejo, e os dois homens ficaram à janela, observando a longa plataforma iluminada, enquanto o trem partia. O Orient Express começava a sua viagem de três dias através da Europa.

3
Poirot recusa um caso

No dia seguinte, Hercule Poirot entrou um pouco atrasado para o almoço no carro-restaurante. Acordara cedo, tomara café quase sozinho, e passara a manhã relendo as notas do caso que o levava de volta a Londres. Pouco vira de seu companheiro de viagem.

M. Bouc, que já se sentara, gesticulou convidando o amigo a ocupar o lugar em frente. Poirot aceitou, e logo descobriu estar naquela invejável posição que sempre é servida primeiro e com os melhores petiscos. A comida estava excelente. Só quando já estavam no requeijão, M. Bouc abordou assunto diverso da alimentação. Estavam naquele período da refeição em que as pessoas se tornam filosóficas.

— Ah! — suspirou. — Se ao menos eu tivesse a pena de Balzac! Como eu descreveria esta cena!

— Uma boa ideia...

— Ah, você concorda? Mas isto já foi feito, não? E ainda leva ao romance, meu amigo. Tudo à nossa volta é gente de todas as classes, nacionalidades, idades. Durante três dias esta gente, estranhos uns para os outros, é colocada junta. Dormem e comem sob o mesmo teto, não podem fugir uns dos outros. E, no fim dos três dias, separam-se, tomam diversas direções, talvez para não mais se ver novamente.

— Ainda assim — retrucou Poirot —, suponha que um acidente...

— Ah, não, meu amigo...

— Do seu ponto de vista seria lastimável, concordo. Mas, apesar disso, permita-nos, só por um momento, a suposição. Então, talvez, todos que estão aqui seriam ligados por um único elo, a morte.

— Um pouco mais de vinho — ofereceu Bouc, passando a servir-se. — Mas como você é mórbido, *mon cher*. Talvez a digestão...

— É verdade — concordou Poirot —, aquela comida da Síria talvez não fosse muito adequada ao meu estômago.

Poirot provou do vinho e, recostando-se, correu o olhar, pensativamente, pelo carro-restaurante. Havia 13 pessoas sentadas e, como Bouc observara, de todas as classes e nacionalidades. Começou a estudá-las. Na mesa em frente, três homens. Na certa viajavam sozinhos e tinham sido colocados juntos pelo pessoal do restaurante. Um italiano grandalhão palitava os dentes. Em frente, um típico inglês, com ar de desaprovação de um criado bem-treinado. Ao lado do inglês, um americano corpulento, num terno de cor berrante, possivelmente um caixeiro-viajante.

— Você tem de terminar bem isso, grandão — dizia o americano, numa voz anasalada.

O italiano parou com o palito, para gesticular.

— Isso mesmo. É o que vivo dizendo.

O inglês olhou para a janela e tossiu. O olhar de Poirot dirigiu-se para outro ponto.

Numa mesa pequena, aprumada, sentava-se uma das senhoras mais feias que já vira. E estranhamente sua feiura era mais de fascinar que de repelir. E como se enfeitava!

Trazia um colar de pérolas enormes, que, muito provavelmente, eram verdadeiras. Suas mãos estavam cobertas de anéis. O casaco de peles caía pelas costas, pesadão. Um pequenino chapéu preto enfeitava-lhe o rosto amarelado. Falou com o garçom num tom claro, cortês, mas autoritário.

— O senhor poderia fazer-me a cortesia de levar à minha cabina uma garrafa de água mineral e um copo grande de suco de laranja? Providencie frango sem tempero algum para o jantar e peixe cozido.

O garçom, respeitosamente, disse que tudo seria arranjado. Agradeceu com um aceno de cabeça e levantou-se. Seu olhar alcançou Poirot com um desinteresse aristocrático.

— Aquela é a princesa Dragomiroff — explicou Bouc discretamente. — Russa. Seu marido fez fortuna antes da revolução e investiu todo o dinheiro no exterior. Ela é extremamente rica. Uma cosmopolita.

Poirot assentiu. Já tinha ouvido falar da princesa.

— Ela é uma personalidade — disse Bouc —; feia como o pecado, mas que se faz notada. Concorda?

Em outra das mesas grandes, Mary Debenham, com duas outras mulheres. Uma alta, de meia-idade, usava uma blusa num padrão escocês e saia de *tweed*. Os cabelos, de um louro esmaecido, estavam arrumados num rolo. Usava óculos, e suas feições alongadas, amáveis, lembravam uma ovelha. Escutava o que dizia a terceira, uma mulher alta, de rosto agradável, mais velha, que parecia falar sem parar nem para respirar:

— E então minha filha disse: por que não se podem aplicar métodos americanos neste país? É muito natural, para esta gente daqui, ser indolente. Eles não têm o menor ânimo! Mas, do mesmo modo, você ficaria surpresa de ver o que o nosso colégio tem conseguido com sua excelente equipe de professores. Não há nada como a educação. Temos de aplicar nossas ideias ocidentais e fazer o Oriente reconhecê-las. Minha filha diz...

O trem entrou num túnel. O ruído sufocou aquela voz calma e monótona.

Na mesa seguinte, uma das pequenas, o coronel Arbuthnot sentava-se sozinho. Seu olhar se fixava nas costas de Mary Debenham. Eles não estavam juntos, ainda que aquilo pudesse ter sido facilmente arranjado. Por quê?

Talvez, Poirot imaginou, Mary Debenham tivesse feito alguma objeção. Uma governanta aprende a cuidar de si, a importar-se com as aparências. Uma moça assim tem de ser discreta. Seu olhar dirigiu-se para a outra ponta do vagão. No fundo, encostada à parede, uma senhora de meia-idade, vestida de preto, rosto inexpressivo. "Alemã ou escandinava", pensou. Provavelmente dama de companhia! Logo vinha um casal conversando animadamente. O homem usava roupas inglesas de *tweed*, mas não era inglês. Embora só a parte de trás da cabeça fosse visível a Poirot, seu formato e a posição dos ombros o denunciavam. Um homem grande, de boa aparência. De repente, voltou-se e Poirot pôde ver o seu perfil. Um belo homem de trinta, com um bigode grande. A mulher à sua frente ainda era uma mocinha — vinte anos, mais ou menos. Usava um casaco justo e saias pretas, blusa de cetim branco, um chapeuzinho elegante caído para o lado. Tinha um rosto de estrangeira, bonito, pele muito branca, olhos castanhos, grandes, cabelos muito negros. Fumava um cigarro numa piteira longa. Suas unhas eram cuidadas, compridas, pintadas de vermelho. Usava uma esmeralda sobre platina. Havia coqueteria em seu olhar e na sua voz.

— *Elle est jolie* — Poirot murmurou. — Marido e mulher, não?

Bouc assentiu:

— Embaixada húngara, creio eu. Um belo casal.

Só mais duas pessoas almoçavam: o companheiro de viagem de Poirot, MacQueen, e seu patrão, Mr. Ratchett. Este último estava de frente para Poirot, que, pela segunda vez, estudou aquele rosto, notando uma falsa benevolência na expressão e olhos pequeninos e cruéis.

Bouc notou a mudança de expressão do amigo.

— Observa o seu animal selvagem?

Poirot fez que sim. O café foi trazido; Bouc levantou-se. Começara a refeição antes de Poirot.

— Volto à cabina. Venha em seguida conversar um pouco.

— Com prazer.

Poirot tomou seu café e pediu um licor. O atendente ia de uma a outra mesa com uma caixa de dinheiro, aceitando o pagamento de contas. Ouviu-se novamente a velha senhora americana:

— Minha filha dizia: leve um bloco de vales para as refeições e você não terá qualquer problema. Mas não é bem assim. Parece que eles têm de receber uma gorjeta de dez por cento, e há também aquela garrafa de água mineral, ou qualquer outra água diferente. Eles não têm nenhuma Evian ou Vichy, o que me parece muito estranho.

— A questão — explicou a senhora de rosto comprido — é que eles têm de servir a água da região.

— De qualquer maneira, é muito estranho, isto. — Olhou o troco à sua frente. — Olhe o dinheiro que estão me dando: dinares ou coisa parecida. Parece lixo, isto sim. Minha filha dizia...

Mary Debenham empurrou a cadeira para trás e levantou-se, despedindo-se com uma breve curvatura das outras duas. O coronel Arbuthnot a seguiu. Recolhendo o dinheiro desdenhado, a senhora americana saiu, o mesmo fazendo a outra mulher. Ficaram no restaurante apenas Poirot, Ratchett e MacQueen.

Ratchett disse qualquer coisa a seu companheiro, que saiu. Ergueu-se, mas, em vez de retirar-se, dirigiu-se inesperadamente ao lugar em frente a Poirot.

— Poderia ceder-me um fósforo? — perguntou, num tom anasalado, e apresentou-se: — Meu nome é Ratchett.

Poirot inclinou-se levemente, levando a mão a um dos bolsos e retirando uma caixa, sem abrir.

— Creio ter o prazer de estar falando com M. Hercule Poirot. É verdade?

Poirot inclinou-se novamente.

— O senhor está bem-informado, Monsieur.

O detetive sentiu que aqueles olhos estranhos o observaram atentamente, antes que seu dono falasse de novo.

— Em meu país — disse — gostamos de ir direto ao assunto. Sr. Poirot, quero dar-lhe uma tarefa.

— Minha clientela — respondeu Poirot, as sobrancelhas levantadas — é atualmente muito limitada, Monsieur. Só conduzo uns poucos casos.

— Naturalmente! Mas trata-se, M. Poirot, de muito dinheiro — e repetiu, em tom macio, persuasivo —, muito dinheiro.

Hercule Poirot calou-se por um minuto ou dois, e observou:

— O que quer que lhe faça, Monsieur... Ratchett?

— M. Poirot, sou um homem rico. Um homem muito rico. Homens nesta situação têm inimigos. E eu tenho um inimigo.

— Apenas um inimigo?

— O que quer dizer com isto? — perguntou Ratchett.

— Monsieur, minha experiência indica que quando um homem está numa situação de, como o senhor diz, ter inimigos, ele não os resume em apenas um.

Ratchett pareceu aliviado pela resposta de Poirot.

— Claro! Gostei de sua observação. Inimigo ou inimigos, pouco importa. O que importa é a minha segurança.

— Segurança?

— Minha vida foi ameaçada, M. Poirot. Mas sou dos homens que sabem cuidar de si. — Retirou uma pequena pistola automática do bolso do casaco, mostrou-a e guardou-a novamente. — Não sou o tipo de homem que pode ser apanhado dormindo. Mas quero estar duplamente seguro disso. Creio que o senhor é o homem indicado para o meu dinheiro, M. Poirot. E, lembre-se, muito dinheiro.

Poirot olhou-o pensativamente por alguns minutos. Seu rosto não dizia absolutamente nada. Ratchett não poderia adivinhar o que lhe passava pelo pensamento.

— Lamento, Monsieur — disse com convicção —, mas tenho sido muito feliz na minha profissão. Ganhei o suficiente para satisfazer tanto meus desejos como meus caprichos. E agora só aceito casos que... me interessam.

— O senhor tem muito bons nervos — disse Ratchett —, mas será que vinte mil dólares não o tentariam?

— Absolutamente.

— Se o senhor está barganhando por mais, não conseguirá. Sei quanto as coisas valem exatamente.

— Eu também, M. Ratchett.

— O que há de errado com a minha oferta?

Poirot ergueu-se.

— Se me desculpar a observação pessoal, eu não gosto da sua cara, M. Ratchett — dizendo isso, foi deixando o carro-restaurante.

4
Um grito na noite

O Expresso do Oriente chegou a Belgrado naquela noite às 20h45 e não deveria partir antes das 21h15. Poirot desceu à plataforma. No entanto, não se demorou muito ali. O frio piorara e, embora a plataforma fosse mais ou menos protegida, nevava muito lá fora. Voltou à cabina. O condutor, que batia os pés na plataforma e sacudia os braços para manter-se aquecido, dirigiu-se a ele:

— Suas malas, Monsieur, foram transferidas para a cabina número 1, de M. Bouc.

— Mas onde está M. Bouc?

— Ele mudou-se para o carro de Atenas, que acaba de ser engatado.

Poirot foi ao encontro do amigo, que recusou todos os seus protestos.

— Não é nada. Absolutamente nada. Assim é bem melhor. Você vai seguir até a Inglaterra, de modo que é melhor permanecer no carro que segue até Calais. Eu estou bem, aqui. É bem mais calmo. Este carro está vazio, a não ser por mim e por um médico grego. Ah, meu amigo, que noite! Dizem que há anos não nevava tanto. Vamos esperar que pare logo. Não estou muito satisfeito com ela, posso assegurar-lhe.

Pontualmente, às 21h15 o trem deixou a estação. Logo depois, Poirot levantou-se, disse boa noite ao amigo e cruzou o corredor até o seu vagão, logo à frente do carro-restaurante.

Neste segundo dia da viagem, as barreiras tinham-se quebrado. O coronel Arbuthnot estava de pé, à porta da cabina, falando com MacQueen, que ao ver Poirot, interrompeu o que dizia. Parecia muito surpreso:

— Ei! — bradou —, pensei que tivesse nos deixado. O senhor disse que ficava em Belgrado.

— O senhor me entendeu mal — respondeu Poirot sorrindo. — Lembro-me que o trem deixava Istambul quando falávamos disso.

— Mas homem, a sua bagagem se foi...

— Levaram-na para outra cabina, é só.

— Sim, compreendo.

MacQueen retomou a conversa com Arbuthnot e Poirot continuou no seu caminho.

A duas portas da sua cabina, a velha senhora americana, Mrs. Hubbard, conversava com a mulher de rosto comprido, uma sueca. Empurrava uma revista para ela.

— Vamos, pegue, querida. Tenho muitas outras coisas para ler... Mas — voltou-se para Poirot — não está horrivelmente frio?

— A senhora é muito gentil — respondeu-lhe a dama sueca.

— Nada disso. Espero que durma bem e que sua cabeça doa menos amanhã de manhã.

— É só o frio. Vou tomar um pouco de chá.

— Você tem aspirina? Tem certeza? Olhe que eu tenho muitas. Bem, boa noite, querida.

Dirigiu-se a Poirot, enquanto a outra se retirava.

— Pobre criatura. Sueca. Pelo que sei, uma professora missionária. Excelente pessoa, mas não fala muito inglês. Estava *muito* interessada no que lhe contei sobre a minha filha.

Poirot, naquele momento, já sabia tudo sobre a filha de Mrs. Hubbard. Todos os passageiros que conheciam inglês o sabiam: como ela e seu marido trabalhavam na equipe de um grande colégio americano em Smyrna, como fora a primeira viagem de Mrs. Hubbard ao Oriente, o que ela pensava dos turcos e de seus arranjos e das condições de suas estradas.

A porta mais próxima se abriu e um valete magro, pálido, saiu. Lá dentro, Poirot percebeu Mr. Ratchett sentado na cama. Ao ver Poirot a expressão do seu rosto mudou, aborrecida. A porta fechou-se. Mrs. Hubbard chegou-se para o lado do detetive.

— O senhor sabe, aquele homem me apavora. Não, não o valete. Seu patrão, ou mestre. Há qualquer coisa de errado com aquele homem. Minha filha sempre dizia que sou muito intuitiva. Quando mamãe tem um pressentimento, ela está certa, é o que minha filha sempre diz. E eu tenho um pressentimento acerca daquele homem. Ele é meu vizinho, e eu não gosto disso. À noite passada, tranquei a porta que liga as duas cabinas: acho que vi a maçaneta girar. O senhor sabe, eu não ficaria nem um pouco surpresa se aquele homem fosse um assassino, um desses ladrões de trem dos quais se ouve falar. Estou morta de pavor por causa dele! Minha filha disse que eu faria uma boa viagem, mas há qualquer coisa que não me agrada. Pode ser tolice, mas sinto que alguma coisa vai acontecer. Qualquer coisa. E não sei como aquele rapaz tão agradável pode ser secretário dele...

O coronel Arbuthnot e MacQueen surgiram no corredor, caminhando em sua direção.

— Venha à minha cabina — dizia MacQueen —, a cama ainda não foi preparada. O que quero saber sobre a sua política na Índia é...

Os dois homens passaram e seguiram para a cabina de MacQueen. Mrs. Hubbard despediu-se de Poirot.

— Acho que vou para a cama ler um pouco. Boa noite.

— Boa noite, Madame.

Poirot caminhou para sua cabina, vizinha à de Ratchett. Trocou de roupa e deitou-se, leu durante meia hora e apagou a luz. Mas, naquele momento, ouviu um grito abafado. Uma campainha soou.

Poirot sentou-se e acendeu a luz. Notou que o trem parara, talvez numa estação.

Aquele barulho o surpreendera. Lembrou-se de que Ratchett estava na cabina ao lado, levantou-se e abriu a porta justamente quando o condutor vinha correndo e batia na porta ao lado. Poirot deixou a cabina entreaberta e prestou atenção. O condutor batia pela segunda vez. Outra sineta tocou e a luz denunciou outra cabina que se abria. O condutor olhou para trás. Ao mesmo tempo, uma voz vinda da cabina ao lado avisava:

— *Ce n'est rien. Je me suis trompé.*

— *Bien*, Monsieur.

O condutor apressou-se novamente, para atender o chamado da cabina de onde vinha a luz. Poirot voltou para a cama, seu pensamento aliviado, e desligou a luz. Olhou o relógio. Vinte e três para uma.

5
O crime

Encontrou dificuldades em conciliar o sono novamente, sentindo falta do movimento do trem. Se era uma estação, estava estranhamente tranquila. No trem, ao contrário, os ruídos pareciam mais altos. Pôde ouvir os movimentos de Ratchett na cabina ao lado: um clique do abrir da torneira, o som da água correndo, de lavar as mãos, depois outro clique da torneira. Passos no corredor, lá fora, de alguém usando chinelos.

Hercule Poirot permaneceu deitado, olhando para o teto. Por que a estação estaria tão silenciosa? Sentiu a garganta seca. Esquecera de pedir a água mineral de sempre.

Olhou novamente o relógio. Uma e quinze. Chamaria o condutor, para que trouxesse a água. Seus dedos dirigiram-se para o botão da campainha, mas pararam quando ouviu-a soar novamente. Afinal, o homem não poderia atender todos os chamados ao mesmo tempo.

Trrim... trrim... trrim...

A campainha soou outra vez. Onde estaria o homem? Alguém estava ficando impaciente. Trrim... Fosse quem fosse, mantinha o dedo solidamente sobre o botão. De repente, fazendo barulho, com os passos ecoando pelo corredor, o condutor chegou, batendo a uma porta não muito distante da cabina de Poirot. Então ouviu vozes — a do condutor, desculpando-se, e a de uma mulher, insistente e volúvel, Mrs. Hubbard. Poirot sorriu para si mesmo. A altercação — se é que era isso — prolongou-se por algum tempo. Noventa por cento do barulho vinha de Mrs. Hubbard, dez por cento do condutor. Finalmente, a discussão pareceu ter chegado ao fim. Poirot ouviu um "boa noite, Madame", e o ruído de uma porta que se fechava. Apertou a campainha. O condutor atendeu prontamente. Parecia irritado e temeroso.

— *De l'eau minérale, s'il vous plaît.*

— *Bien*, Monsieur. — Um piscar de olhos de Poirot colocou-o mais à vontade. — *La dame américaine...*

— Sim?

— Imagine o problema — disse ele, passando a mão na testa — que tive com ela. Ela insiste, mas insiste, que havia um homem na sua cabina! Naquele espaço! Onde poderia se esconder? Discuti com ela. Disse-lhe que aquilo era impossível. Ela insistiu que, quando se levantou, havia um homem lá. E como, perguntei, teria ele saído e deixado a porta trancada? Mas ela não deu ouvidos à razão. Mas já não havia nada que pudesse meter medo. Esta neve...

— Neve?

— Mas sim, Monsieur. O senhor não notou? O trem parou por causa da nevasca. Só Deus sabe quanto tempo ficaremos aqui. Lembro-me de uma vez em que fiquei sete dias retido.

— Onde estamos?

— Entre Vincovci e Brod.

— *Là, là*...

— Boa noite, Monsieur — disse o homem, e foi buscar a água.

Poirot tomou um copo d'água e se recompôs para o sono. Já estava cochilando quando alguma coisa o acordou de novo. Desta vez algo pesado caíra, batendo a porta. Levantou-se, abriu a porta e olhou para fora. Nada. Mas, à sua direita, mais adiante, no corredor, uma mulher enrolada num robe escarlate se distanciava dele. Na outra ponta, sentado em seu pequeno banco, o condutor rabiscava números numa grande folha de papel. Tudo estava calmo.

— Realmente ando sofrendo dos nervos — disse Poirot. Voltou para a cama e dormiu até de manhã.

Ao acordar, o trem continuava parado. Levantou uma persiana e observou o exterior. O trem estava cercado por grandes montes de neve.

Olhou o relógio. Eram mais de nove horas. Às 9h45, vestido com elegância, dirigiu-se ao carro-restaurante, onde o falatório era grande. Todas as barreiras que poderiam ter havido entre os passageiros tinham caído definitivamente por terra. Todos estavam agora unidos pela má sorte. Mrs. Hubbard era a que reclamava mais alto:

— Minha filha disse que esta seria a melhor das viagens do mundo. É só entrar no trem e chegar a Paris. E agora podemos ter de ficar aqui por vários dias. Meu navio parte depois de amanhã. Como vou pegá-lo agora? E não posso nem telegrafar, cancelando a reserva. Isso está me deixando louca!

O italiano comentou que tinha negócios urgentes em Milão. O americano grandalhão lamentou: "Muito ruim, Madame." E expressou sua esperança de que o trem poderia recuperar o tempo perdido.

— Minha irmã — suspirou a sueca — e seus três filhos estão esperando por mim. Vão pensar que me aconteceu alguma coisa ruim.

— Quanto tempo ficaremos aqui? — perguntou Mary Debenham. — Será que alguém pode saber?

Sua voz parecia impaciente, mas Poirot notou a ausência daqueles sinais de ansiedade que demonstrara no Taurus Express.

Mrs. Hubbard começava de novo:

— Não há neste trem ninguém que saiba de nada. E ninguém está tentando fazer nada. Só um grupo de estrangeiros inúteis. Se isto acontecesse nos States haveria alguém pelo menos tentando fazer alguma coisa.

Arbuthnot virou-se para Poirot e disse num francês carregado de inglês:

— *Vous êtes un directeur de la ligne, je crois, Monsieur. Vous pouvez nous dire...*

— Não, não — corrigiu Poirot em inglês —, não sou eu. O senhor está me confundindo com meu amigo, M. Bouc.

— Ah, desculpe-me.

— Não é nada. Essas coisas são naturais. Afinal, estou na cabina que antes era dele.

Bouc não estava no restaurante. Poirot olhou à volta, para notar as ausências: a princesa Dragomiroff, o casal húngaro, bem como Ratchett, seu valete, e a dama de companhia alemã. A senhora sueca enxugava os olhos.

— Sou uma tola — lamentou-se — por chorar como criança pequena. Tudo estará bem, aconteça o que acontecer. Deus é grande.

Esta demonstração de fé cristã não era tão bem-compartilhada pelos demais.

— Tudo estará bem — disse MacQueen —, mas poderemos ficar presos dias aqui.

— Em que país estamos, afinal? — perguntou Mrs. Hubbard, chorosa.

Ao saber que se tratava da Iugoslávia, disse:

— Oh! Um desses países dos Bálcãs. Que se pode esperar?

— A senhorita é a única que não parece impaciente, Mademoiselle — disse Poirot a Miss Debenham, que deu levemente de ombros.

— Que é que se pode fazer?

— Trata-se de uma filósofa, Mademoiselle.

— Isto implica uma atitude desprendida. Creio que minha atitude é mais egoística. Apenas aprendi a não me deixar tomar por emoções inúteis.

Miss Debenham não estava olhando para Poirot. Seu olhar estava perdido além da janela, na neve que caía em flocos pesados.

— A senhorita tem uma personalidade forte, Mademoiselle — observou, gentilmente, Poirot. — Creio que a personalidade mais forte entre nós.

— Oh, não. Realmente não. Conheço uma pessoa muito, mas muito mais forte do que eu.

— Ela é...

Miss Debenham despertou para o que dizia, percebendo que estava se revelando a um estranho com o qual só trocara meia dúzia de palavras anteriormente. Sorrindo disse:

— Bem, aquela senhora, por exemplo. O senhor deve tê-la notado. Uma senhora muito feia, mas fascinante. Tudo que ela tem a fazer é levantar um dedo e pedir algo em voz polida... e todo o trem sai correndo.

— Também sai correndo para o meu amigo, M. Bouc — disse Poirot —, que é um dos diretores da empresa, e não porque tenha uma personalidade forte.

Miss Debenham sorriu. A manhã se passara. Muitos passageiros, incluindo Poirot, permaneciam no carro-restaurante. Adotara-se uma vida comunal para passar melhor o tempo. Ouviu um bocado mais sobre a filha de Mrs. Hubbard, e sobre os hábitos do falecido Mr. Hubbard. Soube que ele costumava levantar-se cedo, começar o café da manhã com um mingau; e o que fazia durante o dia até retirar-se, à noite, para dormir com as meias que Mrs. Hubbard fizera para ele. Quando escutava um relato dos objetivos missionários da senhora sueca, um dos condutores da Wagon Lit aproximou-se.

— *Pardon*, Monsieur.

— Sim?

— Os cumprimentos de M. Bouc. Ele apreciaria que o senhor fizesse a gentileza de ir vê-lo por alguns minutos.

Poirot levantou-se, murmurou algumas desculpas à senhora sueca e seguiu o empregado da ferrovia. Atravessou o corredor do vagão em que viajava, depois o do outro. O condutor bateu à porta; depois, deu passagem a Poirot.

A cabina não era a que Bouc ocupava antes. Era na segunda classe, escolhida talvez por ser um pouco maior, e dava a impressão de estar lotada.

Bouc estava sentado numa cadeira a um canto. No outro, junto à janela, um homem pequenino, moreno, olhava a neve. De pé, e quase impedindo a passagem de Poirot, um homem grande, de uniforme azul (o chefe do trem) e o condutor do seu vagão.

— Ah, meu amigo — gritou Bouc —, venha. Precisamos de você!

O homem pequenino à janela virou-se, Poirot espremeu-se ao passar pelos dois empregados da ferrovia e sentou-se de frente para o amigo. A expressão de Bouc fez com que imaginasse uma série de coisas ao mesmo tempo. Era óbvio que algo muito estranho se passara.

— Que aconteceu?

— Tem todo o direito de perguntar. Primeiro, esta neve... esta parada. E agora...

— Agora o quê?

— Agora um passageiro morre na cabina. Apunhalado — disse Bouc, com uma calma que mal disfarçava seu desespero.

— Um passageiro? Qual deles?

— Um americano. Um homem chamado — consultou umas anotações — Ratchett. É isso mesmo, Ratchett?

— Sim, M. Bouc — observou um dos empregados. Poirot olhou-o com atenção. O homem estava branco como cera.

— Melhor mandar este homem sentar-se. Do contrário acaba desmaiando.

O chefe do trem moveu-se vagarosamente, e o outro sentou-se num canto, escondendo o rosto com as mãos.

— Brrr... — disse Poirot. — Isto é sério!

— Claro que é sério. Para começar, um assassinato... o que já, por si mesmo, é uma calamidade de primeira ordem. Mas não apenas isso. As circunstâncias são muito incomuns. Estamos aqui, obrigados a uma parada. Poderemos ficar aqui durante horas, talvez dias. Outra circunstância: quando atravessamos os outros países, a polícia local visita o trem. Mas não na Iugoslávia. Compreende?

— É uma situação muito difícil — disse Poirot.

— O pior ainda está por vir. Dr. Constantine... esqueci, não pude apresentá-lo... Dr. Constantine, M. Poirot.

O pequenino homem moreno inclinou-se; Poirot retribuiu o cumprimento.

— Dr. Constantine acha que a morte ocorreu por volta de uma da manhã.

— É difícil ser preciso nessas coisas — ressalvou o médico —, mas diria com certeza que a morte se deu entre meia-noite e duas da manhã.

— Quando o M. Ratchett foi visto vivo pela última vez? — perguntou Poirot.

— Sabemos que estava vivo à 0h40, quando falou com o condutor — respondeu Bouc.

— Certo — comentou Poirot. — Eu mesmo ouvi o que se passava. Isto é a última coisa que se sabe?

— Sim.

Poirot voltou-se para o médico, que prosseguiu:

— A janela da cabina de Ratchett estava inteiramente aberta, levando a crer que o assassino escapou por ali. Mas, na minha opinião, trata-se de um truque. Quem quer que fugisse por ali deixaria rastros na neve. Não havia nenhuma pegada.

— Quando o crime foi descoberto? — perguntou Poirot.

— Michel!

O condutor sentou-se. Seu rosto continuava pálido e apavorado.

— Conte a este cavalheiro exatamente o que aconteceu.

O homem começou com as palavras saindo meio confusas da boca:

— O valete de M. Ratchett bateu várias vezes na porta da cabina dele, pela manhã. Ninguém respondia. Então, há meia hora, o garçom do carro-restaurante chegou. Queria saber se o passageiro tomaria o desjejum. Eram 11 horas, o senhor sabe... Abri a porta para ele com a minha chave. Mas havia também uma corrente como tranca. Não houve resposta e lá estava frio, muito frio. Com a janela aberta e a neve caindo dentro. Pensei que talvez o cavalheiro tivesse tido um ataque. Chamei o chefe do trem. Quebramos a corrente e entramos. Ele estava... Ah! *C'était terrible!*

Escondeu novamente o rosto entre as mãos.

— A porta estava fechada a chave e trancada com uma corrente por dentro — observou Poirot. — Não seria suicídio?

O médico grego deu uma gargalhada sardônica.

— Será que um suicida consegue furar-se em dez, 15 lugares diferentes?

Os olhos de Poirot se arregalaram.

— Mas isto é uma ferocidade — comentou.

— Coisa de mulher — disse o chefe do trem, manifestando-se pela primeira vez. — Só uma mulher poderia apunhalar desta maneira.

O médico balançou a cabeça pensativamente.

— Então deve ter sido uma mulher muito forte. Não quero falar tecnicamente, o que faria confusão, mas posso assegurar que um ou dois golpes foram dados com tanta força que chegaram a ferir os ossos.

— Não foi, é claro, um crime científico — disse Poirot.

— Muito bárbaro — comentou o dr. Constantine —; e os golpes foram desferidos a torto e a direito. Alguns nem pegaram direito. É como se alguém fechasse os olhos enquanto os desferia um atrás do outro.

— *C'est une femme* — comentou novamente o chefe de trem. — As mulheres são assim. E quando ficam com raiva tornam-se muito fortes... — Falou com tal convicção que ninguém duvidou de sua experiência prévia.

— Tenho, talvez, alguma coisa para acrescentar ao que já conhecem — retrucou Poirot. — É que M. Ratchett falou comigo ontem. E, tanto quanto pude entender, disse-me que sua vida estava em perigo.

— *Bumped off*... foi a expressão americana que usou, não? — perguntou Bouc. — Então não foi uma mulher. É um gângster, um pistoleiro.

O chefe do trem sentiu que sua teoria se reduzira a nada.

— Sendo assim — disse Poirot —, parece ter sido um amador.

Poirot dava a transparecer uma desaprovação profissional.

— Há um americano grandalhão no trem — disse Bouc —, um homem de aparência comum, mas com roupas horríveis. Masca chicletes o tempo todo, o que, creio eu, não é bom costume entre gente educada. Compreende o que quero dizer?

O condutor para o qual se dirigia concordou.

— *Oui*, Monsieur, o número 16. Mas não pode ter sido ele. Eu o teria visto sair ou entrar na cabina.

— Pode ser que não, pode ser que não. Mas isso veremos em seguida. A questão é o que vamos fazer? — Olhou significativamente para Poirot, que lhe devolveu o olhar.

— Venha, meu amigo — disse o sr. Bouc —, você compreende o que eu estou querendo pedir: você conhece sua capacidade. Assuma o comando desta investigação. Não, não recuse. Veja, isto é muito sério. Falo pela Compagnie Internationale des Wagons Lits. Como será simples se, quando a polícia iugoslava chegar, pudermos apresentar-lhe o caso resolvido! Do contrário, demoras, aborrecimentos, um milhão de coisas inconvenientes. Talvez, quem sabe, sérios problemas para gente inocente. Não. Esclareça o mistério! Diremos: um homem foi assassinado, este é o assassino!

— E supondo que eu não resolva o caso?

— Ah, *mon cher* — a voz de M. Bouc demonstrava carinho —, conheço a sua reputação. Sei alguma coisa sobre os seus métodos. Este é o caso ideal para você. Olhar os antecedentes de todas essas pessoas, descobrir quem são, tudo isso leva tempo, aborrecimentos sem fim. Mas não ouvi dizer que você, para resolver um caso, só precisava sentar-se e pensar? Pois faça isso. Entreviste os passageiros, olhe o corpo, examine as pistas e... eu tenho fé em você! Estou certo de que nada disso que falam de você é lenda. Sente-se e pense. Use (como tenho ouvido você dizer tanto) as pequeninas células cinzentas da mente. Você saberá tudo!

Bouc inclinou-se para a frente, o olhar fixado com carinho no amigo.

— A sua confiança é tocante para mim, meu amigo — respondeu Poirot, emocionado. — Como você diz, este caso não pode ser difícil. Eu mesmo, ontem à noite... mas não falemos nisso agora. Na verdade, este caso me intriga. Há meia hora estava pensando como seria aborrecedor se ficássemos aqui. E agora aparece um problema para eu resolver.

— Você aceita, então?

— *C'est entendu.* Você deixa o caso comigo.

— Bem! Então estamos todos à sua disposição.

— Para começar, gostaria de ter uma planta do carro Istambul-Calais, com uma relação das pessoas que ocupam as várias cabinas, bem como seus passaportes e passagens.

— Michel providenciará tudo.

O condutor da Wagon Lit retirou-se.

— Que outros passageiros existem no trem?

— Neste vagão, os únicos são o dr. Constantine e eu. No vagão de Bucareste, um cavalheiro idoso, aleijado de uma perna. É um velho conhecido do condutor. Depois vêm os carros comuns, mas estes não nos interessam, pois foram fechados após o jantar. Na frente do Istambul-Calais há apenas o carro-restaurante.

— Então — disse Poirot —, tudo indica que temos de procurar nosso homem no Istambul-Calais.

O grego assentiu.

— À 0h30 entramos na nevasca. Ninguém deixou o trem desde então.

Bouc disse solenemente:

— O assassino está entre nós, e no trem...

6
Uma mulher?

— Antes de tudo — disse Poirot —, gostaria de trocar umas palavras com o jovem M. MacQueen. Possivelmente ele poderá nos dar informações valiosas.

— Certamente — respondeu Bouc.

E ordenou ao chefe do trem:

— Peça a M. MacQueen que venha até aqui.

O chefe do trem deixou a cabina quando o condutor voltava com um monte de passaportes e passagens. Bouc os recebeu.

— Obrigado, Michel. Acho que agora seria melhor você voltar ao seu posto. Tomaremos seu depoimento mais tarde.

— Muito bem, Monsieur.

Michel deixou a cabina.

— Depois de vermos M. MacQueen — disse Poirot —, talvez Monsieur le Docteur queira ir comigo à cabina do morto.

— Certamente.

— Tão logo terminemos aqui... — Poirot foi interrompido pela chegada de Hector MacQueen.

— Temos uma pequena complicação aqui — adiantou Bouc, levantando-se. — Sente-se, M. MacQueen. M. Poirot se sentará à sua frente.

Voltou-se para o chefe do trem.

— Peça que todos saiam do carro-restaurante. Será melhor que o deixemos livre para M. Poirot.Você fará lá suas entrevistas, *mon cher*?

— Seria o mais conveniente — concordou Poirot.

MacQueen ficara observando um e outro, sem compreender o rápido francês.

— *Qu'est-ce qu'il y a?* — perguntou com dificuldade. — *Pourquoi?*

Com um gesto de convicção, Poirot o fez sentar no canto. MacQueen aceitou a poltrona e recomeçou:

— *Pourquoi?* — e voltou ao seu próprio idioma: — Que está havendo no trem? Aconteceu alguma coisa?

Olhou para um homem e depois para o outro. Poirot assentiu.

— Exatamente, aconteceu uma coisa. Prepare-se para um choque. *Seu patrão, M. Ratchett, está morto!*

MacQueen assoviou, admirado. Apenas por seus olhos, que perderam um pouco o brilho, nada nele refletia choque ou nervosismo.

— Eles o pegaram, afinal — comentou.

— O que o senhor quer dizer exatamente com esta frase, M. MacQueen?

MacQueen hesitou.

— O senhor supõe — perguntou Poirot — que M. Ratchett foi assassinado?

— Não foi? — perguntou MacQueen, agora demonstrando surpresa. — É, foi como eu pensava. O senhor quer dizer que ele morreu dormindo? Mas o velho era tão forte... tão forte...

— Não, não — interrompeu Poirot. — Sua suposição estava absolutamente certa. M. Ratchett foi assassinado. Apunhalado. Mas eu gostaria de saber por que o senhor estava tão certo de que foi homicídio e não apenas... morte.

MacQueen hesitou.

— Primeiro preciso saber uma coisa ao certo: quem é o senhor exatamente? E onde o senhor entra?

— Represento a Compagnie Internationale des Wagons Lits. — Poirot fez uma pausa e continuou: — Sou um detetive. Meu nome é Hercule Poirot.

Se Poirot esperava que isto causasse em MacQueen alguma reação especial, errou. O americano limitou-se a dizer que sim e deixou-o continuar.

— O senhor talvez conheça o nome.

— Parece-me um pouco familiar. Só que pensava ser de um costureiro.

— Incrível! — exclamou Poirot com desgosto.

— O que é incrível?

— Nada. Deixe-nos continuar com o assunto de que estamos tratando. Quero que me diga, M. MacQueen, tudo que sabe sobre o morto. O senhor não tinha parentesco com ele?

— Não. Eu sou... era... seu secretário.

— Há quanto tempo estava no emprego?

— Pouco mais de um ano.

— Por favor, conte-me tudo que puder.

— Eu tinha vindo de Nova York para tratar de uma concessão de petróleo. Não creio que deseje ouvir tudo a respeito disso. Eu e meus amigos fomos derrubados no negócio. Ele acabara de ter um atrito com seu secretário. Ofereceu-me o emprego e eu o aceitei. Eu estava numa situação ruim, e fiquei contente por encontrar um trabalho fácil e bem-remunerado.

— E então?

— Saímos viajando. Mr. Ratchett queria ver o mundo. Ele se aborrecia por não falar outros idiomas. Eu trabalhava mais como guia do que como secretário. Foi uma vida gostosa.

— Agora conte-me tudo que puder sobre o seu patrão.

MacQueen encolheu os ombros. Uma expressão de perplexidade passou pelo seu rosto.

— Isto não é tão fácil.

— Qual era o seu nome completo?

— Samuel Edward Ratchett.

— Cidadão americano?

— Sim.

— De que parte da América ele vinha?

— Não sei.

— Bem, conte-me o que sabe.

— Na verdade, M. Poirot, não sei nada. Mr. Ratchett nunca falava de si mesmo, ou de sua vida na América.

— Por que isso, na sua opinião?

— Não sei. Creio que tinha vergonha dos tempos em que começou. Alguns homens são assim.

— E acha satisfatório isso que imagina?

— Francamente, não.

— Ele tem parentes?

— Nunca mencionou nenhum.

Poirot pressionou:

— O senhor deve ter formado alguma teoria, M. MacQueen.

— Bem, tenho a minha. Por exemplo, não acredito que o nome dele seja Ratchett. Acho que ele deixou os Estados Unidos para fugir de alguém ou de alguma coisa. E creio que a coisa deu certo, até umas semanas atrás.

— E então?

— Ele começou a receber cartas... cartas ameaçadoras.

— O senhor as leu?

— Sim. Era parte do meu trabalho lidar com a correspondência. A primeira carta chegou há 15 dias.

— E as cartas foram destruídas?

— Não, creio ter algumas no arquivo. Uma, sei que Ratchett rasgou, num acesso de raiva. Quer ver as que tenho?

— Se quiser fazer a gentileza.

MacQueen deixou a cabina, voltando minutos depois com duas folhas de papel meio sujo, que deixou em frente a Poirot. A primeira carta dizia assim:

> *Pensava que iria nos tapear e fugir com aquilo, não? Não nesta vida. Estamos atrás de você, Ratchett, e vamos apanhá-lo.*

Não havia assinatura. Sem qualquer comentário, a não ser com o sobrecenho, Poirot pegou a segunda carta.

Vamos levá-lo a um passeio, Ratchett. E muito breve. Vamos apanhá-lo, vê?

Poirot pôs a carta de lado.

— O estilo é monótono — comentou — e pior que a caligrafia.

MacQueen olhou-o fixamente.

— O senhor não notaria — disse Poirot prazerosamente — porque isto requer os olhos de uma pessoa acostumada a coisas assim. Esta carta não foi escrita por uma pessoa só, M. MacQueen. Duas ou mais pessoas a escreveram, cada qual uma letra ou palavra. Além disso, usaram letras de imprensa, o que torna muito mais difícil identificar a caligrafia. O senhor sabia que M. Ratchett tinha pedido a minha ajuda?

— Ao senhor?

O tom de espanto de MacQueen mostrou a Poirot que certamente ele ignorava tudo. O detetive assentiu.

— Sim. Ele se mostrava alarmado. Diga-me, como reagiu ele ao receber a primeira carta?

— É... é difícil — MacQueen hesitou — dizer. Ele passou-lhe os olhos e riu. Mas eu achei que havia qualquer coisa por trás daquela calma.

Poirot concordou e lançou uma pergunta inesperada:

— M. MacQueen, o senhor me contaria, honestamente, como olhava o seu patrão? O senhor gostava dele?

— Não, não gostava.

— Por quê?

— Não sei dizer, exatamente. Seus modos sempre foram gentis... Dir-lhe-ei a verdade, M. Poirot. Eu não gostava dele nem acreditava nele. Estou certo de que ele era um homem cruel e perigoso. Mas devo admitir que não tinha razão para ter tal opinião.

— Muito obrigado, M. MacQueen. Mais uma pergunta: quando viu M. Ratchett vivo pela última vez?

— Ontem à noite — pensou um pouco —, às dez horas. Fui à sua cabina pegar alguns memorandos.

— A respeito de quê?

— Algumas louças e cerâmica antiga que ele comprou na Pérsia.[2] A entrega não correspondeu à compra. Houve uma longa troca de correspondência aborrecedora a respeito disso.

— E aquela foi a última vez em que Ratchett foi visto vivo?

— Sim, suponho eu.

— Sabe quando M. Ratchett recebeu a última ameaça?

— Na manhã do dia em que deixamos Constantinopla.

— Há mais uma pergunta que desejo fazer-lhe, M. MacQueen, o senhor estava bem com seu patrão?

Os olhos do jovem piscaram de repente.

— Para fazer minhas as palavras de um best-seller, "o senhor não tem nada contra mim". Ratchett e eu estávamos perfeitamente bem.

— Talvez, M. MacQueen, o senhor me dê seu nome completo e endereço nos Estados Unidos.

MacQueen deu o nome: Hector Willard MacQueen e um endereço em Nova York.

Poirot acomodou-se na poltrona.

— É tudo por ora, M. MacQueen. Eu ficaria muito grato ao senhor se mantivesse segredo, por algum tempo, sobre o assunto da morte de M. Ratchett.

Masterman, seu valete, terá de saber.

— Provavelmente já sabe — disse Poirot de modo seco —; e se ele já souber, procure segurar sua língua.

— Isto não será muito difícil. Ele é inglês, e costuma "guardar-se para si", como ele mesmo diz. Tem uma opinião ruim sobre os americanos e nenhuma opinião sobre qualquer outra nacionalidade.

— Obrigado, M. MacQueen.

O americano retirou-se.

— Bem — perguntou Bouc —, acredita no que este jovem está falando?

— Ele me parece honesto e incisivo. Não finge sentir afeição pelo patrão, e provavelmente o faria se estivesse

---

[2] Atual Irã. (N.E.).

envolvido no crime de algum modo. É verdade que M. Ratchett não lhe contou que tentara contratar meus serviços e falhara, mas não creio que isto gere qualquer suspeita. Creio que Ratchett era um cavalheiro com ideias próprias para toda e qualquer ocasião.

— Assim, de início, você proclama um inocente — comentou Bouc, de modo jovial.

— Eu? Eu suspeito de todo mundo até o último minuto. Do mesmo modo, devo admitir que não consigo imaginar este sóbrio MacQueen perdendo a cabeça e esfaqueando a vítima 12 ou 14 vezes. Não se enquadra no seu tipo psíquico.

— Não — concordou Bouc, pensativo. — Aquilo foi ato de um homem enfurecido, embriagado de ódio, talvez um temperamento latino. Ou, como sugere nosso amigo o chefe do trem com insistência, uma mulher.

7
O corpo

Acompanhado do dr. Constantine, Poirot dirigiu-se ao outro vagão e à cabina ocupada pelo homem assassinado. O condutor aproximou-se e abriu-lhe a porta com a sua chave. Os dois homens entraram. O detetive voltou-se inquisitivamente para o companheiro.

— Mexeram muito na cabina?

— Ninguém tocou em nada. Tive o cuidado de não mover o corpo enquanto o examinava.

Poirot assentiu e olhou à sua volta. A primeira coisa que lhe despertou mais atenção foi o frio intenso. A janela estava aberta ao máximo.

— Brrr... — Poirot arrepiou-se.

O outro homem sorriu.

— Não quis fechá-la.

Poirot examinou a janela cuidadosamente.

— Você está certo — anunciou — ao dizer que ninguém saiu por aqui. Possivelmente deixaram a janela aberta para que pensássemos isso, mas, se tivessem fugido por aqui, a neve teria as pegadas do assassino.

Examinou com cuidado a moldura da janela. Tirando uma pequena caixa do bolso, espalhou um pó no lugar.

— Nenhuma impressão digital — revelou —, o que quer dizer que foram apagadas. De qualquer modo, se as houvesse, nos indicariam muito pouco. Seriam de Ratchett, seu valete ou do condutor. Os criminosos de hoje não cometem esse tipo de erro. E sendo assim, tratemos de fechar a janela. Está muito frio aqui!

A ação seguiu-se às palavras e, após fechar a janela, o detetive pela primeira vez voltou sua atenção para o corpo sobre o leito. Ratchett estava virado para cima. O paletó do pijama, manchado de vermelho, tinha sido desabotoado e puxado para trás.

— Eu tinha de verificar a natureza dos ferimentos — explicou o médico.

Poirot assentiu, debruçando-se sobre o corpo. Depois, ergueu-se, demonstrando um certo desgosto.

— Não é bonito. Alguém deve ter ficado ali e apunhalado uma vez, duas vezes, três... Quantos ferimentos há exatamente?

— Contei 12. Um ou dois são tão leves que parecem até arranhões. Por outro lado, pelo menos três outros poderiam ter causado a morte.

Alguma coisa no tom de voz do médico captou a atenção de Poirot. Olhou-o fixamente. O pequenino grego estava de pé junto ao corpo, com um ar intrigado.

— Alguma coisa lhe parece esquisita, não é? — perguntou Poirot. — Diga, meu amigo. O que o intriga?

— Tem razão — respondeu o outro.

— O que é?

— Veja estas duas perfurações, aqui e ali — apontou. — Elas são profundas, devem ter cortado muitos vasos sanguíneos. Mesmo assim, não sangraram da maneira que era de se esperar.

— Como assim?

— Parece que o homem já estava morto... há pouquíssimo tempo... antes de ter recebido estes golpes. Mas isto é absurdo, certamente.

— Pode parecer assim — disse Poirot, pensativo —, a menos que o nosso assassino tenha pensado que não fizera o trabalho direito e voltou para completá-lo... Mas isto seria absurdo! Algo mais?

— Bem, só mais uma coisa.

— O quê?

—Veja este ferimento aqui, sob o braço direito, perto do ombro. Pegue este lápis. O senhor consegue golpear aqui?

Poirot levantou a mão.

— *Précisément* — disse. — Com a mão direita é dificílimo, quase impossível. Seria preciso torcer toda a mão para dar o golpe. Mas se fosse com a mão esquerda...

— Exatamente, M. Poirot. É muito provável que o golpe tenha sido desferido com a mão esquerda.

— Então o nosso assassino é canhoto? Não, a coisa é bem mais difícil do que isso, não?

— É como diz, M. Poirot, alguns destes outros golpes foram desferidos com a direita.

— Duas pessoas. Voltamos a dois assassinos, então — considerou Poirot pensativo. — As luzes estavam acesas?

— Difícil dizer. O senhor compreende, todos os dias às dez da manhã o condutor desliga tudo.

— As tomadas nos dirão — disse Poirot, passando a examinar o interruptor da luz do teto e do abajur da cabeceira. O primeiro estava desligado; o outro também. — *Eh bien* — observou pensativo —, temos aqui a hipótese do Primeiro e do Segundo Assassino, como o colocaria o grande Shakespeare. O Primeiro Assassino apunhalou a vítima e deixou a cabina, desligando a luz. O Segundo Assassino veio depois no escuro, e, sem ver que o trabalho já fora realizado, esfaqueou pelo menos duas vezes o homem já morto. *Que pensez-vous de ça?*

— Magnífico — disse o pequenino médico, entusiasmado.

Os olhos do detetive se iluminaram.

— O senhor acha mesmo? Fico feliz. Pareceu-me um bocado de contrassenso.

— Que outra explicação pode haver?

— Exatamente isto que estou me perguntando. Será que temos uma coincidência, ou o quê? Haveria outras inconsistências que poderiam levar às duas pessoas envolvidas?

— Creio poder dizer que sim. Alguns desses golpes, como já disse, refletem fraqueza, no sentido de falta de força ou de determinação. São quase arranhões. Mas este aqui, e este outro — disse apontando — requerem muita força. Penetraram nos músculos.

— Então, na sua opinião, foram dados por um homem?

— Certamente.

— Não poderiam ter sido desferidos por uma mulher?

— Uma mulher jovem e vigorosa, se estivesse embrutecida pela emoção, mas na minha opinião isso é muito difícil.

Poirot manteve-se em silêncio por um ou dois minutos. O médico perguntou-lhe, ansioso:

— Compreende o que quero dizer?

— Perfeitamente. A coisa toda começa a se esclarecer muito bem! O assassino era um homem forte, era um homem fraco, era uma mulher, uma pessoa destra, uma pessoa canhota... Ah, *c'est rigolo, tout ça*!

Prosseguiu com uma súbita irritação:

— E a vítima? Onde ela entra nisso tudo? Grita? Reage? Defende-se?

Poirot enfiou a mão sob o travesseiro e retirou a pistola que Ratchett lhe mostrara no dia anterior.

— Completamente carregada, você vê.

Os dois homens olharam à volta. O terno de Ratchett estava dependurado no gancho da parede. Sobre a pequena mesa formada pela tampa da pia, vários objetos: uma dentadura num copo d'água; outro copo, vazio; uma garrafa de água mineral; um frasco grande e um cinzeiro com uma ponta de charuto e alguns pedaços de papel queimado. Dois fósforos riscados.

O médico pegou o copo vazio e cheirou-o.

— Eis a razão da imobilidade da vítima — disse.

— Drogas?

— Sim.

Poirot assentiu. Pegou os dois palitos de fósforo e examinou-os cuidadosamente.

— O senhor tem aí uma pista? — perguntou o pequeno doutor, ansioso.

— Dois fósforos de tamanhos diferentes. Um é mais fino que o outro. Percebe?

— É do tipo que se ganha no trem — observou o médico —, em caixas de papel.

Poirot remexeu os bolsos de Ratchett, retirando uma caixa de fósforos. Comparou-os demoradamente.

— O mais roliço é o que Ratchett usou. Vamos ver se também possui do tipo mais fino.

Os olhos de Poirot vasculhavam a cabina, brilhando aguçadamente como os de um gato na noite. Percebia-se que nada lhe escaparia. De repente, com uma exclamação, abaixou-se e pegou qualquer coisa no chão. Era um pedaço quadrado de cambraia, das mais finas. Num canto, a inicial H.

— Um lenço de mulher — disse o médico — e isso mostra que nosso amigo chefe de trem está certo. Há uma mulher metida nisto.

— E para melhorar tudo para nós, ela deixa seu lenço aqui! — comentou Poirot. — Exatamente como acontece nos livros e no cinema. E para tudo ficar ainda mais fácil, o lenço tem a sua inicial.

— Que golpe de sorte para nós! — exclamou o médico.

— Não é mesmo? — perguntou Poirot.

Alguma coisa na voz do detetive intrigou o médico, e antes que ele lhe pedisse uma explicação, Poirot voltou a apanhar qualquer coisa no chão. Agora, trazia um limpador de cachimbo.

— De Ratchett talvez? — perguntou o médico.

— Não havia cachimbo nos seus bolsos, nem fumo.

— Temos uma pista, então.

— Decididamente. E novamente deixada a calhar. Uma pista masculina, desta vez. Ninguém pode reclamar de falta de pistas neste caso. Elas existem em abundância. Por falar nisso, o que fez com a arma?

— Não há sinal dela. O assassino deve tê-la levado.

— Gostaria de saber por quê — murmurou Poirot.

— Ah! — exclamou o médico —, esqueci-me disto: ao desabotoar o paletó do pijama eu o encontrei, e coloquei novamente no lugar.

O dr. Constantine tirou do bolso do paletó do morto um relógio de ouro selvagemente amassado, os ponteiros marcando 1h15.

— Vê? — perguntou Constantine. — Isto nos dá a hora do crime. Está de acordo com os meus cálculos. Disse entre meia-noite e duas da manhã, provavelmente uma hora, embora não seja fácil dar-se o tempo com exatidão, nesses casos. *Eh bien*, eis a confirmação. Uma e quinze. Esta foi a hora do crime.

— Possivelmente, doutor, possivelmente.

— O senhor vai me perdoar, M. Poirot, mas não consigo compreendê-lo.

— Quem não entende nada sou eu — observou Poirot — e, como o senhor vê, isso me aborrece.

Poirot suspirou e, debruçando sobre a pequena mesa, passou a examinar os pedaços de papel queimado. Disse para si mesmo:

— O que preciso agora é de uma caixa de chapéu de mulher.

O dr. Constantine estava para fazer outra pergunta. Mas Poirot não lhe deu tempo para tanto. Abrindo a porta chamou o condutor.

— Quantas mulheres viajam neste carro?

O condutor contou-as pelos dedos.

— Uma, duas, três... seis, Monsieur. A velha senhora americana, a senhora sueca, a senhora inglesa, a condessa Andrenyi, e Madame la Princesse Dragomiroff e sua dama de companhia.

— Todas possuem caixas de chapéu? — observou Poirot.

— Sim, Monsieur.

— Então traga-me... deixe ver... a da senhora sueca e a da dama de companhia. Estas são as únicas esperanças. Diga-lhes tratar-se de uma norma da alfândega, ou qualquer outra coisa que lhe ocorra.

— Não haverá problema, senhor. Nenhuma das duas está na cabina agora.

— Então seja rápido.

O condutor partiu, voltando com as duas caixas. Poirot abriu a da dama de companhia e a jogou de lado. Em seguida, abriu a da sueca e deu um brado de satisfação. Removendo os chapéus cuidadosamente, notou um tufo de fios, como lã de aço.

— Ah, eis o que precisamos. Há cerca de 15 anos, as caixas de chapéus eram feitas assim. Prendiam-se os chapéus aqui com alfinetes apropriados.

Enquanto falava, retirava cuidadosamente dois dos tufos. Depois, recolocou os chapéus na caixa e mandou-as de volta. Ao fechar-se a porta, dirigiu-se ao médico:

— Como vê, meu caro doutor, não sou o único a acreditar na técnica do especialista. É psicologia que procuro, não as impressões digitais ou as cinzas de um cigarro. Mas, neste caso, apreciaria conselhos científicos. A cabina está cheia de pistas, mas como posso acreditar que elas são o que realmente parecem ser?

— Não consigo entendê-lo bem, M. Poirot.

— Bem, para lhe dar um exemplo, achamos um lenço de mulher. Será que uma mulher o deixou cair? Ou foi um homem que, ao cometer o crime, entendeu melhor fazer com que a coisa toda parecesse trabalho feminino? Assim: vou apunhalar meu inimigo um número desnecessário de vezes, dando alguns golpes de leve, e largar este lenço onde ninguém possa deixar de notá-lo. Esta é uma possibilidade. Mas há outra: será que uma mulher o matou e deliberadamente deixou este limpador de cachimbo para que o serviço parecesse de homem? Ou devemos mesmo supor que duas pessoas, um homem e uma mulher, envolveram-se separadamente, e cada um foi tão descuidado a ponto de deixar pistas que lhe revelassem a identidade? Isto tudo é coincidência demais!

— Mas onde entram as caixas de chapéu?

— Ah, já chego lá. Como dizia, estas pistas, o relógio parado à 1h15, o lenço, o limpador de cachimbo, tanto podem ser genuínas como falsas. Quanto a isto não posso dizer nada. Mas há uma pista que, embora possa estar errado, creio não ser falsa. Refiro-me a este fósforo fino, Monsieur le Docteur. Creio que ele tenha sido usado pelo assassino e não por M. Ratchett. Foi utilizado para queimar um papel que o incriminava de alguma forma. Possivelmente um bilhete. Se for assim, havia alguma coisa naquele bilhete, um erro qualquer, que permitiria identificar o assassino. E eu vou ressuscitar o que havia ali.

Poirot saiu da cabina e voltou minutos depois com uma espiriteira e uma pequena pinça.

— Eu a uso nos bigodes — esclareceu.

O médico o observava com o maior interesse. Poirot espalhou os dois tufos de arame e, com muito cuidado, pôs os pedaços de papel sobre um deles. Depois, colocou um sobre o outro e, pegando-os com a pinça, levou-os à chama da espiriteira.

— Como pode ver, este é um bom truque. Esperemos que dê certo.

O médico acompanhava tudo com a maior atenção. O metal começou a avermelhar. De repente, viu-se, longe, um arremedo de letras. Letras que saíam do fogo. Mas só três palavras e parte de uma outra apareceram: "... bre-se pequena Daisy Armstrong."

— Ah! Excelente!

— Indica alguma coisa? — perguntou o médico.

Os olhos de Poirot brilhavam como nunca. Deixou de lado a pinça cuidadosamente.

— Sim, já sei o nome do morto. E também por que ele deixou os Estados Unidos.

— Como se chamava?

— Cassetti.

— Cassetti. — Constantine franziu a testa. — Isto me lembra qualquer coisa. Faz alguns anos. Não posso recordar... Foi um caso na América, não?

— Sim — concordou Poirot —, um crime na América.

Daí em diante, Poirot não se mostrou tão comunicativo. E olhou em volta, à medida que prosseguiu:

— Continuaremos depois. Primeiro vamos nos certificar ter visto tudo que há para ser visto aqui.

O detetive rebuscou rapidamente os bolsos do morto sem achar mais nada de interesse. Tentou abrir a porta de comunicação com a cabina vizinha, mas estava trancada pelo outro lado.

— Há uma coisa que não compreendo — disse o dr. Constantine —, se o assassino não fugiu pela janela; se a porta para a cabina vizinha estava trancada pelo outro lado, e se a saída estava fechada a chave e trancada por uma corrente, como ele saiu desta cabina?

— Isto é exatamente o que pergunta a plateia quando uma pessoa é amarrada pelos pés e pelas mãos, colocada numa caixa e desaparece.

— Quer dizer...

— Quero dizer — explicou Poirot — que, se o assassino pretendia que acreditássemos na fuga pela janela, é óbvio que teria de mostrar-nos inexistir qualquer outra saída. Como na mágica. E o nosso negócio é apurar como se faz o truque.

Poirot fechou a porta de comunicação pelo lado da cabina em que estavam.

— Para o caso de a excelente Mrs. Hubbard tentar arranjar detalhes em primeira mão sobre o crime, para mandar à filha — preveniu.

O detetive olhou em volta outra vez.

— Não há mais nada a fazer aqui. Vamos ver M. Bouc.

8
O rapto de Daisy Armstrong

Encontraram Bouc no fim da omelete.

— Achei melhor — disse — mandar servir o almoço imediatamente, no carro-restaurante. Logo em seguida, ficará vazio e Poirot poderá continuar. Nesse meio-tempo, pedi o almoço aqui.

— Ideia excelente — disse Poirot.

Nenhum dos dois recém-chegados tinha fome, mas beliscaram a comida. Só quando tomavam café, Bouc mencionou o assunto que permanecia na mente de todos.

— *Eh bien?* — perguntou.

— *Eh bien*, descobri a identidade da vítima. Sei também por que para ele era imperativo sair da América.

— Quem era?

— Lembra-se de ter lido sobre a menina dos Armstrong? Esse é o homem que matou a pequenina Daisy: Cassetti.

— Recordo agora. Foi uma coisa chocante, embora não me lembre de todos os detalhes.

— O coronel Armstrong era inglês... um V.C. Meio americano, pois sua mãe era filha de W.K. Van Der Halt, o milionário de Wall Street. Casou-se com a filha de Linda Arden, a mais famosa atriz norte-americana da época. Viviam na América e só tinham uma filha, que idolatravam. Aos três anos, a menina foi sequestrada. Pediram de resgate uma soma quase impossível de se obter. Não os aborrecerei com os detalhes. Vou logo ao momento em que, pago o resgate, a enorme soma de duzentos mil dólares, apareceu o corpo da criança. Havia sido morta 15 dias antes. O povo todo ficou indignado. Mas o pior estava por vir. Mrs. Armstrong esperava outra criança, e, devido ao choque, deu à luz, prematuramente, uma criança morta. Ela morreu também. Seu marido, com o coração em pedaços, se matou.

— *Mon Dieu*, que tragédia! Lembro-me agora — observou Bouc —, houve mais uma morte, se não estou errado...

— Sim, de uma ama-seca suíça ou francesa. A polícia estava certa de que ela se envolvera de algum modo no crime. Recusou-se a acreditar nas suas desesperadas negativas. Finalmente, a pobre moça atirou-se por uma janela e morreu. Mais tarde, ficou provado que ela era absolutamente inocente de cumplicidade no crime.

— Não é coisa boa de recordar — disse Bouc.

— Mais ou menos seis meses depois, este homem, Cassetti, foi preso como chefe da quadrilha que raptara a criança. Tinha usado antes o mesmo método. Se a polícia saía no seu encalço, eles matavam o prisioneiro, escondiam o corpo e continuavam a tomar tanto dinheiro quanto pudessem, até que o crime fosse descoberto. E, podem ficar certos, meus amigos, Cassetti era o cabeça. Mas, devido ao dinheirão que acumulara, e por conhecer os segredos de muita gente, livrou-se através de um erro processualístico. Apesar disso, poderia ter sido linchado pela população, se não fosse bastante sabido para passar-lhe a perna. Parece-me claro, agora, o que aconteceu. Ele mudou de nome e deixou os Estados Unidos. Desde então, viveu como um homem fino, que viajava e recebia rendas.

— Ah, *quel animal*! — Bouc se revoltou. — Não posso lamentar a sua morte, de maneira alguma.

— Concordo plenamente.

— *Tout de même*, não precisava ser morto no Expresso do Oriente. Havia outros lugares.

Poirot sorriu, notando que Bouc levava o assunto para o lado pessoal.

— O que temos de nos perguntar é se este assassinato foi trabalho de alguma quadrilha rival tapeada por Cassetti no passado ou se foi vingança.

Poirot em seguida explicou sua experiência com os pedaços de papel queimado.

— Se estou certo, a carta foi queimada pelo assassino. Por quê? Porque mencionava Daisy Armstrong, chave do mistério.

— Algum membro da família Armstrong está vivo?

— Isto, infelizmente, não sei. Creio ter lido alguma coisa sobre uma irmã mais nova de Mrs. Armstrong.

Poirot prosseguiu no relato das conclusões que tirara com o dr. Constantine. Bouc entusiasmou-se ao ouvir falar no relógio quebrado.

— Parece que temos a hora exata do crime.

— Sim — observou Poirot —, veio a calhar.

Havia qualquer coisa de diferente na voz do detetive que fez os dois outros observarem-no com curiosidade.

— Você diz que ouviu mesmo Ratchett falar com o condutor à 0h40?

Poirot contou tudo o que acontecera.

— Bem — disse Bouc —, isto pelo menos prova que Cassetti, ou Ratchett, como continuarei a chamá-lo, estava bem vivo à 0h40.

— Vinte e três para uma, para ser preciso.

— Então, à 0h37, para ser formal, M. Ratchett estava vivo. Pelo menos isto *é fato*.

Poirot não respondeu. Preferiu continuar pensando. Bateram à porta. O garçom entrou.

— O carro-restaurante está livre agora, Monsieur.

— Vamos lá — disse Bouc, erguendo-se.

— Posso acompanhá-lo? — perguntou Constantine.

— Claro, meu caro doutor. A menos que Poirot faça alguma objeção.

— Não, não.

Depois de uma troca de "*après vous*, Monsieur", "*mais, non, après vous*", os três deixaram a cabina.

PARTE II

OS TESTEMUNHOS

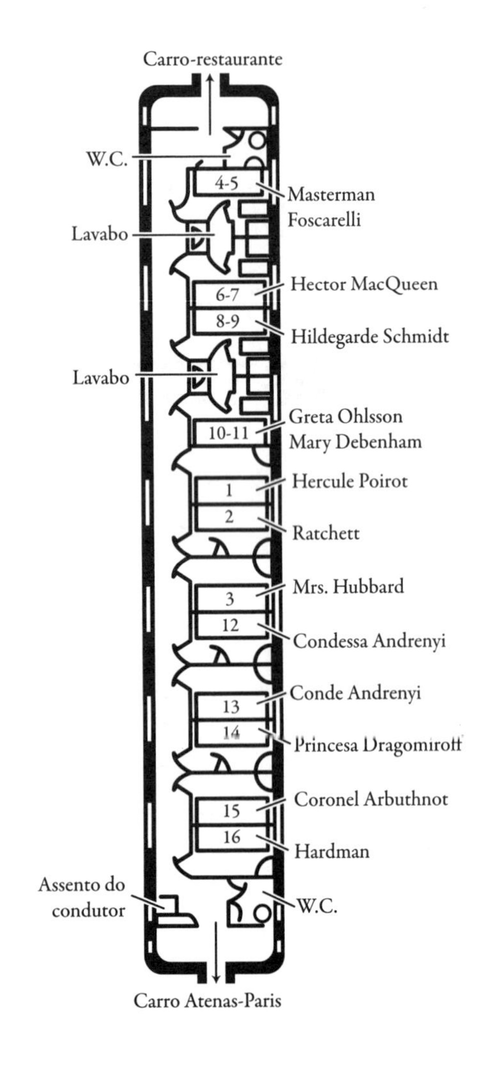
Carro-restaurante
W.C.
4-5
Masterman
Foscarelli
Lavabo
6-7
Hector MacQueen
8-9
Hildegarde Schmidt
Lavabo
10-11
Greta Ohlsson
Mary Debenham
1
Hercule Poirot
2
Ratchett
3
Mrs. Hubbard
12
Condessa Andrenyi
13
Conde Andrenyi
14
Princesa Dragomiroff
15
Coronel Arbuthnot
16
Hardman
Assento do
condutor
W.C.
Carro Atenas-Paris

1
O depoimento do condutor da Wagon Lit

No carro-restaurante, estava tudo pronto. Poirot e Bouc sentaram-se de um lado, o médico do outro. Na mesa em frente a Poirot, uma planta do carro Istambul-Paris com os nomes dos passageiros marcados a tinta vermelha. Os passaportes e os bilhetes formavam uma pilha, no outro lado. Havia papel, tinta, caneta e lápis.

— Excelente — observou o detetive —, podemos abrir nossa comissão de inquérito sem mais detalhes. Primeiro, creio, devemos tomar o depoimento do condutor. Você provavelmente sabe alguma coisa sobre ele. Quem é? Pessoa na qual se pode confiar?

— Tenho certeza disso. Pierre Michel está na companhia há mais de 15 anos. É francês, mora perto de Calais. Respeitável e honesto. Talvez não muito inteligente.

Poirot assentiu, denotando compreensão.

— Bom, vamos vê-lo.

Pierre Michel, já recuperado, mostrava-se extremamente nervoso.

— Espero que Monsieur não pense que houve qualquer negligência da minha parte — disse angustiado, seus olhos indo e vindo de Bouc a Poirot. — É uma coisa terrível, tudo isso. Espero que Monsieur não ache que isto refletirá em mim de alguma forma.

Depois de acalmá-lo, Poirot começou com as perguntas. Primeiro anotou o nome completo de Michel, seu endereço, as obrigações do serviço e há quanto tempo trabalhava naquela linha, em particular. Tudo aquilo ele já sabia, mas as questões de rotina serviam para colocar o homem à vontade.

— Agora — prosseguiu Poirot —, vamos aos acontecimentos da noite passada. Quando M. Ratchett foi dormir?

— Quase imediatamente após o jantar, Monsieur. Na verdade, antes de deixarmos Belgrado. Foi assim na noite anterior. Pediu-me que lhe preparasse a cama enquanto jantava, e foi o que fiz.

— Alguém foi à sua cabina depois disso?

— Seu valete, Monsieur, e o americano que era seu secretário.

— Alguém mais?

— Que eu saiba, não.

— Bom. E aquela foi a última vez que o viu ou ouviu?

— Não, Monsieur. O senhor se lembra, ele tocou a campainha mais ou menos à 0h40... logo depois de termos parado.

— O que aconteceu exatamente?

— Bati à porta, mas ele respondeu que se enganara.

— Em inglês ou francês?

— Em francês.

— Quais foram exatamente suas palavras?

— *Ce n'est rien. Je me suis trompé.*

— Muito certo, é o que ouvi também. E você foi embora?

— Sim, Monsieur.

— Voltou para o seu banco?

— Não, Monsieur, primeiro fui atender a outro chamado.

— Agora, Michel, vou fazer-lhe uma pergunta importante. Onde você estava à 1h15?

— Eu, Monsieur? Estava no meu banco, ao fundo, de frente para o corredor.

— Tem certeza?

— *Mais oui*... pelo menos...

— Sim?

— Fui ao carro seguinte, o de Atenas, falar com o meu colega. Conversamos sobre a neve. Isto pouco depois de uma hora, não sei dizer a hora exata.

— E quando você voltou?

— Uma das campainhas me chamou, Monsieur; lembro que era o que lhe contei. Era a senhora americana. Ela tocara várias vezes.

— Recordo. E depois disso?

— Depois, Monsieur? Eu atendi o seu chamado e trouxe-lhe água mineral. Meia hora mais tarde, preparei a cama de uma das outras cabinas, a do jovem cavalheiro americano, secretário de M. Ratchett.

— MacQueen estava sozinho quando você foi fazer-lhe a cama?

— O coronel inglês do número 15 estava com ele. Conversavam sentados.

— Que fez o coronel ao deixar MacQueen?

— Voltou para sua cabina.

— Número 15. É perto do seu banco, não?

— Sim, Monsieur. A segunda cabina daquela extremidade do corredor para cá.

— A cama já tinha sido feita?

— Sim, Monsieur. Eu a preparara enquanto ele jantava.

— A que horas foi tudo isso?

— Não sei exatamente, Monsieur. Não mais de duas horas, estou certo.

— E depois?

— Depois, Monsieur, fiquei sentado em meu banco até de manhã.

— Não foi mais ao carro de Atenas?

— Não, Monsieur.

— Dormiu, talvez?

— Creio que não, Monsieur. O trem parado não me permitiu cochilar como sempre.

— Viu algum dos passageiros passar pelo corredor?

O homem refletiu.

— Uma das senhoras foi ao toalete lá no fundo, acho eu.

— Qual delas?

— Não sei, Monsieur. Foi bem no fundo do corredor, e ela estava de costas para mim. Usava um robe com dragões vermelhos bordados.

Poirot assentiu.

— E depois disso?

— Nada, Monsieur, até de manhã.

— Tem certeza?

— Ah, *pardon*, o senhor mesmo abriu a porta e olhou para fora por uns segundos.

— Bom, meu amigo — disse Poirot —, duvidava que fosse lembrar-se disso. Por falar nisso, acordei com o som de alguma coisa que caía, batendo na minha porta. Tem alguma ideia do que fosse?

O homem olhou-o fixamente.

— Não foi nada, Monsieur. Nada, absolutamente.

— Então devo ter tido um pesadelo — comentou Poirot filosoficamente.

— A menos — retrucou Bouc — que tenha ouvido alguma coisa na cabina ao lado.

Poirot não respondeu à sugestão, talvez não quisesse fazê-lo na frente do condutor.

— Passemos a outro ponto — continuou —, suponhamos que o assassino tivesse embarcado à noite passada. É quase certo que ele não poderia desembarcar depois de cometer o crime?

Pierre Michel balançou a cabeça.

— Ou que ele tivesse se escondido em algum lugar?

— Tudo foi revistado — interrompeu Bouc —, deixe de lado a ideia, meu caro.

— Além disso — disse Michel —, ninguém poderia ter entrado no carro-dormitório sem que eu visse.

— Quando foi a última parada?

—Vincovci.

— Que horas eram?

— Devíamos partir às 23h58. Mas, devido à neve, saímos com um atraso de vinte minutos.

— Alguém poderia ter vindo do resto do trem?

— Não, Monsieur. Após o serviço do jantar a porta que dá para os carros comuns é trancada.

—Você desceu do trem em Vincovci?

— Sim, Monsieur. Fui à plataforma, como sempre, e permaneci ao lado da escada para o trem. Os outros condutores fizeram o mesmo.

— E sobre a porta da frente, aquela perto do carro-restaurante?

— É sempre fechada por dentro.

— Não está tão fechada agora.

O condutor mostrou-se surpreso.

— Sem dúvida um dos passageiros a abriu para olhar a neve lá fora.

— Provavelmente — disse Poirot, batendo na mesa, pensativo, por algum tempo.

— O senhor não me culpa?

—Você tem a pior das chances, meu amigo. Ah, um outro ponto. Você disse que outra campainha tocou quando você batia à porta de M. Ratchett. Na verdade, eu também ouvi. De quem era?

— De Madame la Princesse Dragomiroff. Pediu-me para chamar sua dama de companhia.

— E você foi?

— Sim, Monsieur.

O detetive estudou a planta que estava à sua frente, e inclinou a cabeça.

— Isso é tudo, por ora.

— Obrigado, Monsieur.

O condutor se levantou olhando para Bouc.

— Não fique nervoso — disse o diretor carinhosamente —, não vejo por que tenha havido qualquer negligência de sua parte.

Agradecido, Pierre Michel deixou a cabina.

2
O depoimento do secretário

Por um ou dois minutos, Poirot ficou perdido entre os seus pensamentos.

— Acho — disse afinal — que seria melhor ter uma nova conversa com M. MacQueen, à vista do que sabemos agora.

O jovem americano veio prontamente.

— Bem — perguntou —, como andam as coisas?

— Não muito mal. Desde a nossa última conversa, descobri algo... a identidade de M. Ratchett.

MacQueen inclinou-se para a frente, interessado.

— Sim?

— Ratchett, como o senhor suspeitava, era simplesmente um pseudônimo. O nome verdadeiro era Cassetti, o homem que comandou a célebre série de sequestros, inclusive o famoso caso da pequena Daisy Armstrong.

Uma expressão de assombro tomou conta da face de MacQueen.

— O rato maldito!

— O senhor não tinha ideia disso, Mr. MacQueen?

— Não — respondeu, com decisão —, se tivesse, preferiria ter amputado o meu braço direito a fazer qualquer trabalho de secretário para ele!

— O senhor se revolta com o assunto, Mr. MacQueen?

— Tenho uma razão particular para sentir-me assim. Meu pai era o promotor que atuou no caso, M. Poirot. Vi Mrs. Armstrong mais de uma vez, era uma linda mulher, gentil e amável. — Enrubesceu. — Se alguém já mereceu tamanho castigo, este alguém é Ratchett ou Cassetti. Estou contente com o fim que lhe deram. Este homem não devia viver!

— O senhor se sente como se quisesse ter feito a boa ação, não?

— Eu... sim — sentiu que estava admitindo a culpa —, mas, o senhor vê, parece que estou me incriminando!

— Eu suspeitaria mais, M. MacQueen, se o senhor demonstrasse uma dor incomum pela morte do seu patrão.

— Não creio que o fizesse, ainda que para me livrar da cadeira elétrica — observou MacQueen. — E se não estou sendo curioso demais, como o senhor pôde descobrir isso? A identidade de Cassetti, quero dizer.

— Pelo fragmento de uma carta encontrada na cabina dele.

— Mas claro... quero dizer, isto foi falta de cuidado do velho?

— Depende — observou Poirot — do ponto de vista.

O jovem pareceu achar sua observação um tanto frustrada. Olhou fixamente para Poirot, como se o estimulasse a continuar.

— Minha tarefa — disse Poirot —, é saber de todos os movimentos dos passageiros no trem. O senhor não deve se ofender, compreende? É questão de rotina.

— Claro. Prossiga e deixe-me esclarecer-lhe sobre meu caráter, se eu puder.

— Preciso saber formalmente o número de sua cabina — disse Poirot com um sorriso —, embora eu tivesse compartilhado dela com o senhor, na noite anterior. Não é a cabina de segunda classe, números 6 e 7? Depois de minha saída o senhor ficou sozinho?

— Isso mesmo.

— Agora, M. MacQueen, desejo que descreva todos os seus movimentos na noite passada, desde que deixou o carro-restaurante.

— Isso é bem fácil. Voltei à cabina, li um pouco, desci à plataforma em Belgrado, achei que estava muito frio e retornei ao trem. Conversei um pouco com uma moça inglesa que ocupa a cabina ao lado da minha. Em seguida, fiquei conversando com aquele inglês, o coronel Arbuthnot. Na verdade, creio que o senhor passou por nós quando conversávamos. Então fui à cabina de M. Ratchett e, como lhe contei, anotei alguns memorandos sobre cartas que ele desejava enviar. Despedi-me dele e retirei-me. O coronel Arbuthnot continuava em pé no corredor. Sua cama já estava feita para a noite, e sugeri que viesse à minha cabina. Pedi dois drinques e ficamos discutindo política internacional, o governo da Índia e nossos problemas com a crise financeira em Wall Street. Não costumo conversar muito com ingleses... eles são muito arrogantes, mas gostei deste.

— Sabe a que horas ele deixou sua cabina?

— Um bocado tarde. Perto de duas horas, devo dizer.

— O senhor notou que o trem havia parado?

— Sim. Fiquei me perguntando por que parara. Olhei para fora e vi neve caindo, pesada. Mas não pensei que fosse nada sério.

— Que aconteceu quando o coronel Arbuthnot finalmente se despediu?

— Foi direto para sua cabina e eu chamei o condutor para fazer-me a cama.

— Onde ficou enquanto ele preparava a cama?

— Fiquei no corredor, à frente da porta, fumando um cigarro.

— E então?

— E então fui para a cama e dormi até de manhã.

— Durante a noite, deixou o trem de algum modo?

— Arbuthnot e eu achamos que valeria a pena sair em... como era o nome do lugar?... Vincovci, para esticar as pernas um pouco. Mas estava um frio de amargar, e logo voltamos ao trem.

— Por qual porta deixaram o trem?

— Pela que fica perto das nossas cabinas.

— Aquela junto ao carro-restaurante?

— Sim.

— Lembra-se se ela estava fechada?

MacQueen pensou.

— Sim, acho que estava. Pelo menos havia uma coisa parecida com uma barra colocada atravessada na maçaneta. É isto que quer dizer?

— Sim. Tornou a colocá-la ali quando voltaram ao carro?

— Não, creio que não. Entrei por último. Não, não me lembro de tê-lo feito. Este ponto é muito importante?

— Pode ser. Agora, presumo eu, Monsieur, que enquanto o senhor e o coronel Arbuthnot estavam sentados conversando a porta de sua cabina foi deixada aberta?

Hector MacQueen assentiu.

— Quero, se puder, que o senhor diga quais as pessoas que passaram pelo corredor *depois* que o trem saiu de Vincovci e até sua conversa acabar.

MacQueen franziu a testa.

— Creio que o condutor passou, uma vez. Vindo do carro-restaurante. E uma mulher passou também, no sentido contrário.

— Que mulher?

— Não poderia dizer, pois, na verdade, não tomei conhecimento de quem era. O senhor sabe, eu discordava de um ponto do coronel. Apenas vi um vulto, alguém num negócio de seda vermelha, passando pela porta. Não olhei, e mesmo que o fizesse não poderia ter-lhe visto o rosto. Como sabe, minha cabina dá para o carro-restaurante, e uma mulher que passasse naquela direção estaria de costas para mim.

Poirot concordou.

— Ela ia ao toalete, não?

— Suponho que sim.

— Viu-a voltar?

— Bem, não... mas, já que mencionou, não notei que ela tivesse voltado, mas creio que deve tê-lo feito.

— Mais uma pergunta. Fuma cachimbo, Mr. MacQueen?

— Não, senhor, não fumo.

Poirot fez uma pausa.

— Acho que é tudo no momento. Gostaria agora de ver o valete de M. Ratchett. Por falar nisso, tanto o senhor como ele sempre viajam na segunda classe?

— Ele sim. Mas eu, usualmente, viajo na primeira, se possível na cabina vizinha à de Mr. Ratchett, para que ele pudesse colocar a maior parte de sua bagagem ali e ainda me tivesse sempre à mão. Mas desta vez todos os leitos de primeira estavam reservados, exceto o que ele pegou.

— Compreendo. Muito obrigado, M. MacQueen.

3
O depoimento do valete

Ao americano seguiu-se o pálido inglês de rosto inexpressivo que Poirot já notara na véspera. Esperou, perfilado, que o detetive lhe indicasse a cadeira.

— Você, pelo que sei, é o valete de M. Ratchett?

— Sim, senhor.

— Seu nome?

— Edward Henry Masterman.

— Sua idade?

— Trinta e nove.

— Seu endereço permanente?

— 21 Friar Street, Clerkenwell.

— Ouviu dizer que seu patrão foi assassinado?

— Sim, senhor, um acontecimento muito chocante.

— Poderia contar-me, por favor, a que horas viu pela última vez M. Ratchett?

O valete pensou.

— Deve ter sido cerca das nove, senhor. Ou isso, ou pouco depois.

— Diga-me exatamente o que aconteceu.

— Como sempre, fui até Mr. Ratchett perguntar-lhe se queria algo.

— Em que consistia sua tarefa exatamente?

— Dobrar ou pendurar suas roupas, colocar a dentadura na água e ver se ele queria alguma coisa para a noite.

— Seus modos, ontem, eram os de sempre?

O valete ficou pensativo por algum tempo.

— Bem, senhor, acho que ele estava aborrecido.

— De que maneira aborrecido?

— Por causa de uma carta que tinha lido. Perguntou-me se tinha sido eu quem a colocara em sua cabina. Claro que eu lhe disse que não, mas ele me repreendeu e acusou-me de fazer tudo errado.

— Isso era fora do comum?

— Não, senhor, ele costumava perder a paciência facilmente, é como digo, dependia do que o aborrecia.

— Alguma vez seu patrão tomou pílulas para dormir?

Dr. Constantine curvou-se um pouco para ouvir.

— Sempre que ele viajava de trem. Não conseguia dormir de outra maneira.

— Sabe que remédio ele usava?

— Não poderei dizer, senhor. Não havia nome no frasco. Tudo o que o rótulo dizia era: "Soporífero para tomar à noite."

— E ele tomou, na noite passada?

— Sim, senhor. Eu o coloquei num copo na mesa ao lado dele.

— Não o viu tomá-lo?

— Não, senhor.

— O que aconteceu em seguida?

— Perguntei se havia mais alguma coisa e a que horas queria que o chamasse de manhã. Ele respondeu que não o perturbasse até me chamar.

— Isso era comum?

— Muito comum, senhor. Ele costumava tocar a campainha para o condutor e mandava-o chamar-me quando estava pronto para levantar-se.

— Ele costumava acordar cedo ou tarde?

— Dependia da sua disposição, senhor. Umas vezes ele se levantava para o café, outras ficava na cama até a hora do almoço.

— Então você não se alarmou quando amanheceu e ninguém o chamou?

— Não, senhor.

— Sabia se o seu patrão tinha inimigos?

— Sim, senhor.

O homem falava com indiferença.

— Como soube?

— Ouvi-o discutir algumas cartas, senhor, com Mr. MacQueen.

— Sentia alguma afeição por seu patrão, Masterman?

— Dificilmente deixaria de senti-lo, senhor. Ele era um homem generoso.

— Mas você gostava dele?

— Vamos dizer que não ligo muito para americanos, senhor.

— Você já esteve nos Estados Unidos?

— Não, senhor.

— Lembra-se de ter lido nos jornais sobre o sequestro Armstrong?

O rosto do valete pareceu ficar mais rosado.

— Sim, de fato, senhor. Não foi uma menina pequena? Uma coisa muito chocante.

— Sabia que seu patrão, M. Ratchett, foi o principal instigador do crime?

— Realmente não, senhor — respondeu o valete num tom de voz que pela primeira vez parecia demonstrar algum sentimento. — Difícil de acreditar nisso, senhor.

— Apesar de tudo, é verdade. Agora, passe aos seus próprios movimentos na noite de ontem. Questão de rotina, compreende? Que fez você depois de deixar a cabina do seu patrão?

— Informei a Mr. MacQueen, senhor, que o patrão queria vê-lo. Em seguida, fui para minha cabina e fiquei lendo.

— Sua cabina é...

— No fim da segunda classe, senhor. Junto ao carro-restaurante.

Poirot observou a sua planta.

— Sim, vejo aqui... e que leito?

— O inferior, senhor.

— Número 4?

— Sim, senhor.

— Alguém com você?

— Sim, senhor. Um italiano grande.

— Ele fala inglês?

— Bem, um certo inglês, senhor. — Seu tom de voz era de condenação. — Ele esteve na América, Chicago, creio eu.

— Vocês conversam muito?

— Não, senhor. Prefiro ler.

Poirot sorriu, visualizando a cena: o italiano grandalhão e o esnobe cavalheiro.

— Posso perguntar-lhe o que está lendo?

— Atualmente, senhor, estou lendo *Love's Captive*, de Arabella Richardson.

— Uma boa história?

— Muito agradável, senhor.

— Bem, vamos continuar. Você foi para a cabina e leu *Love's Captive* até que horas?

— Até as 22h30, pois o italiano queria dormir. Então o condutor veio fazer as camas.

— Então você se deitou e dormiu?

— Deitei-me, senhor, mas não dormi.

— Por que não?

— Estava com dor de dente, senhor.

— Oh, *là là*, isto dói...

— Muito doloroso, senhor.

— Fez alguma coisa para curá-la?

— Coloquei um pouco de malva, senhor, o que aliviou um pouco a dor, mas não consegui dormir. Acendi a luz de cabeceira e continuei a ler... para esquecer a dor.

— Então não dormiu mesmo?

— Sim, por volta das quatro da manhã.

— E seu companheiro?

— O italiano? Ele roncava.

— Ele não deixou a cabina por toda a noite?

— Não, senhor.

— Você?

— Não, senhor.

— Ouviu algo durante a noite?

— Creio que não, senhor. Nada fora do comum. O trem parado, tudo muito calmo.

Poirot guardou silêncio por um ou dois minutos, e recomeçou:

— Bem, creio que não há muito mais a dizer. Não pode contribuir em nada para esclarecer o mistério?

— Sinto que não. Lamento, senhor.

— Tanto quanto possa saber, houve alguma discussão ou atrito entre seu patrão e M. MacQueen?

— Não, não, senhor. Mr. MacQueen é um cavalheiro muito amável.

— Onde trabalhou antes de ser contratado por Ratchett?

— Com Sir Henry Tomlinson, senhor, em Grosvenor Square.

— Por que saiu?

— Ele foi para o leste da África, e não precisava mais dos meus serviços. Mas tenho certeza de que dará boas referências a meu respeito. Trabalhei anos para ele.

— Há quanto tempo está com M. Ratchett?

— Só por nove meses, senhor.

— Obrigado, Masterman. Mas você fuma cachimbo?

— Não senhor, só fumo cigarro, senhor.

— Obrigado, é tudo.

Poirot acenou-lhe com a cabeça, dispensando-o.

O valete hesitou por um momento.

— Perdoe-me, senhor, mas a senhora americana está muito nervosa. Diz que sabe tudo sobre o assassino. Está muito excitada, senhor.

— Nesse caso — disse Poirot, sorrindo —, é melhor vê-la em seguida.

— Posso dizer-lhe, senhor? Há muito tempo, ela está pedindo que alguém a receba. O condutor está tentando acalmá-la.

— Mande-a a nós, meu caro. Vamos ouvi-la agora.

4
O depoimento da dama americana

Mrs. Hubbard entrou no carro-restaurante num tal estado de nervos que mal podia articular as palavras.

— Afinal, digam-me apenas uma coisa: quem é que manda aqui? Tenho informações muito importantes, muito importantes, e quero dá-las o mais cedo possível a uma autoridade. Se os senhores, cavalheiros...

— Passe-me a informação, senhora — disse Poirot —, mas, por favor, sente-se primeiro.

Mrs. Hubbard deixou-se cair na cadeira em frente ao detetive.

— O que tenho a dizer é o seguinte: houve um assassinato no trem na noite passada, e o assassino estava na minha cabina! — Fez uma pausa, para parecer ainda mais dramática.

— Tem certeza disso, Madame?

— Claro que tenho! Que ideia! Eu sei bem o que estou dizendo. Vou dizer tudo que tenho para contar. Eu tinha ido para minha cama e começava a pegar no sono quando acordei de repente... estava tudo escuro... com um homem na minha cabina. Fiquei tão apavorada que não pude nem gritar, o senhor compreende. Fiquei ali, deitada e pensando: "Meu Deus, vão me matar." Não posso dizer como me sentia. Esses trens horríveis, pensei, e tudo que havia lido sobre eles. Decidi que ele, de qualquer maneira, não roubaria minhas joias: afinal eu tinha colocado tudo dentro de uma meia, embaixo do travesseiro. Mas onde eu estava?

— A senhora descobriu, Madame, que havia um homem na cabina.

— Bem, sim, fiquei deitada, fechei os olhos, pensando no que fazer, contente porque minha filha, pelo menos, não sabia da confusão em que eu estava metida. E então, não sei como, voltei ao meu raciocínio normal, e chamei o condutor, apertando a campainha. Apertei, apertei, mas não acontecia nada. Meu coração parecia que ia parar de bater. Deus... pensei, talvez tenha assassinado todos os que estão no trem. Tudo, entretanto, estava parado, e havia uma terrível calma no ar. Mas eu continuava a apertar a campainha e... oh!... tive um alívio quando ouvi alguém caminhando para a porta e, em seguida, batendo. Entre, gritei, e acendi as luzes. Acredite, não havia mais ninguém ali.

Mrs. Hubbard parecia ter chegado ao clímax e não ao anticlímax de sua história dramática.

— E o que aconteceu em seguida, Madame?

— Contei ao condutor o que acontecera, mas ele pareceu não acreditar em mim. Dizia que tudo era um pesadelo. Eu fiz com que ele olhasse tudo, até sob a cadeira, embora dissesse que não havia espaço para ninguém se esconder ali. Estava claro que o homem tinha ido embora, mas *tinha havido* um homem, e o que me enlouquecia era que o condutor queria convencer-me do contrário! Eu não sou de imaginar coisas, Mr... Será que eu sei seu nome?

— Poirot, Madame, e este é M. Bouc, diretor da companhia, e o dr. Constantine.

— Prazer em conhecê-los — murmurou ela e retomou a ladainha: — Agora, eu não finjo que fui tão sabida quanto poderia ter sido. Enfiei na cabeça que o homem era aquele passageiro da cabina ao lado, o pobre diabo que foi assassinado. Pedi ao condutor para olhar a porta de intercomunicação, e ela não estava trancada. Fiz com que o homem trancasse tudo, e depois que ele se foi coloquei uma mala atrás da porta, para ficar ainda mais certa de que ninguém poderia abri-la.

— A que horas foi isso, Mrs. Hubbard?

— Bem, não tenho muita certeza. Não olhei o relógio.

— E o que pensa de tudo agora?

— Bem, eu diria que tudo é muito claro. O homem que estava na minha cabina é o assassino. Quem mais poderia ser?

— E a senhora acha que ele voltou ao compartimento vizinho?

— Como posso saber para onde ele foi? Eu estava com os olhos bem fechados!

— Ele deve ter escapado pelo corredor.

— Bem, não sei. Estava com os olhos muito fechados — disse Mrs. Hubbard soluçando convulsivamente. — Meu Deus, estava apavorada! Se ao menos minha filha soubesse...

— Não acha, Madame, que o que ouviu foi o barulho de alguém que se movia na cabina ao lado, na do morto?

— Não, não, Mr... como é mesmo?... Poirot. O homem estava ali, na mesma cabina que eu. E, ainda mais, tenho uma boa prova disso.

Mrs. Hubbard levantou uma maleta, triunfante, e começou a vasculhá-la. Tirou dois grandes lenços limpos, um par de óculos de aro de osso, um frasco de aspirina, um pacote de sal de fruta, um tubo de pastilhas de hortelã, um molho de chaves, uma tesoura, um talão de cheques da American Express, uma fotografia de uma criança, algumas cartas, cinco colares de contas presumidamente orientais e um pequeno objeto de metal, um botão.

—Vê este botão? Bem, não é um dos *meus* botões, nem nada do que tenho. Achei-o hoje de manhã, quando me levantei.

A senhora americana colocou-o sobre a mesa, arrancando uma exclamação de Bouc:

— Mas este botão é da túnica de um empregado da Wagon Lit!

— Pode haver uma explicação natural para isso — disse Poirot, voltando-se gentilmente para a senhora americana —; o botão pode ser do condutor, e ter caído quando ele fazia a sua cama ou quando revistava a cabina, na noite passada.

— Eu não sei o que está acontecendo com vocês. Parece que só querem fazer objeções. Agora escutem aqui: eu estava lendo uma revista antes de dormir. Ao apagar a luz, coloquei-a sobre uma maleta, no chão, perto da janela. Acompanharam até aqui?

Todos disseram que sim.

— Muito bem, então. O condutor olhou debaixo da cadeira, mas permaneceu à porta. Depois, entrou e trancou a porta de intercomunicação. Nunca esteve perto da janela. Mas hoje de manhã o botão estava exatamente sobre a revista. De que vocês chamam isto, poderia eu saber?

— Isso, Madame, eu chamo de indício — disse Poirot.

— Fico louca quando não acreditam em mim.

— A senhora, Madame, nos deu um indício valiosíssimo — retrucou Poirot. — E agora, poderia fazer-lhe algumas perguntas?

— Sim, certamente.

— Como foi que, estando tão nervosa a respeito de Ratchett, a senhora não trancou a porta que dá para a cabina dele?

— Mas eu a tranquei — respondeu Mrs. Hubbard.

— Trancou?

— Bem, na verdade perguntei àquela sueca, uma alma boníssima, se a porta estava trancada. E ela disse que sim.

— Por que a senhora mesma não foi verificar?

— Porque eu estava deitada, e pendurara ali uma sacola com meus objetos de banho.

— A que horas pediu que ela lhe fizesse isso?

— Deixe-me pensar. Deve ter sido entre 22h30 e 22h45. Ela veio ver se eu tinha uma aspirina. Disse-lhe onde apanhar, e ela pegou na maleta.

— A senhora estava na cama?

— Sim — respondeu ela, com uma repentina risada. — Pobre coitada, estava mal. O senhor sabe, ela, por engano, abriu a porta da outra cabina.

— A cabina de Ratchett?

— Sim. O senhor sabe como é difícil andar pelo trem e como é quando todas as portas estão fechadas: tudo igual. Ela acabou abrindo a porta de Ratchett por engano. Estava muito aborrecida por causa disso. Parece que ele riu e lhe disse qualquer coisa não muito gentil. Pobre alma! Estava arrasada. Disse-lhe que tinha sido um engano, estava envergonhada. Mas aquele sujeito não prestava. Ele lhe disse: você é muito velha...

O dr. Constantine sorriu. Mrs. Hubbard congelou-o com o olhar.

— A senhora ouviu algum barulho na cabina de Mr. Ratchett depois disso?

— Bem... não exatamente.

— Que quer dizer com isso, Madame?

— Bem... ele roncava...

— Ah, ele roncava?

— Terrivelmente. Na noite anterior, não consegui dormir com o barulho.

— A senhora não o ouviu mais roncar, depois do susto com o homem na sua cabina?

— Como poderia, M. Poirot, se ele estava morto?

— Ah, sim — Poirot mostrou-se confuso —, claro.

— A senhora se lembra do rapto dos Armstrong, Mrs. Hubbard?

— Sim, senhor. E de como o canalha que o organizou conseguiu escapar! Eu seria capaz de esganá-lo com minhas próprias mãos.

— Ele não escapou. Morreu. Morreu na noite passada.

— O senhor não está dizendo... — Mrs. Hubbard levantou-se nervosa.

— Sim, é o que quero dizer. Ratchett era o homem.

— Bem, vejam só! Tenho que escrever à minha filha. Eu não tinha dito que aquele homem não era de cara boa? Eu estava mais do que certa. Bem que minha filha diz: "Quando mamãe tem um pressentimento, pode-se apostar o último tostão: acontece."

— A senhora era amiga da família Armstrong?

— Não. Eles frequentavam uma roda muito fechada. Mas sempre ouvi dizer que Mrs. Armstrong era uma dama perfeita e que seu marido a venerava.

— Bem, Mrs. Hubbard, ajudou-nos muito, muito mesmo. Talvez possa dar-me seu nome completo...

— Certamente, Caroline Martha Hubbard.

— Poderia escrever seu endereço neste papel?

Mrs. Hubbard atendeu-o, sem parar de falar.

— Não posso acreditar... aquele homem, Cassetti, neste trem. Tive uma intuição a respeito dele, não tive, M. Poirot?

— Sim, claro, Madame. Por falar nisso, a senhora tem um robe vermelho escarlate, de seda?

— Meu Deus, que pergunta indiscreta! Não. Tenho dois robes comigo: um de flanela rosa, mais adequado a navio, e outro que minha filha me deu, em seda púrpura. Mas por que o senhor quer saber dos meus robes?

— Bem, a senhora sabe, Madame, alguém entrou na sua cabina ou na de Ratchett, na noite passada, usando um robe escarlate. E, como a senhora mesma disse, é muito difícil saber qual a cabina de quem, quando todas as portas estão fechadas.

— Sim, mas ninguém de robe vermelho esteve na minha cabina na noite passada.

— Então deve ter ido à de Ratchett.

— O que não me surpreenderia — observou Mrs. Hubbard em tom jocoso.

Poirot inclinou-se para a frente.

— Então ouviu uma voz de mulher na cabina ao lado?

— Não sei como adivinhou isso, M. Poirot. Mas, na verdade, ouvi.

— Mas, quando eu lhe perguntei, tudo que disse foi ter ouvido Mr. Ratchett roncar.

— Sim, é verdade. Ele roncou por certo tempo. Mas houve um momento... — Mrs. Hubbard enrubesceu — é meio embaraçoso falar a respeito...

— A que horas ouviu a voz de mulher?

— Não sei bem. Acordei por um minuto e ouvi uma mulher falando. Era claro onde ela estava. Então pensei: esse é o tipo de homem que ele é; não me surpreende. Fui dormir novamente. Nunca toquei num assunto tão desagradável com estranhos, e continuaria sem fazê-lo se não o tivessem arrancado de mim.

— Mas isso foi antes do susto com o homem em sua cabina?

— Ora, senhor, ele não poderia falar com uma mulher depois de morto, não é?

— *Pardon*. A senhora deve pensar que sou um tolo, Madame.

— Acho que de vez em quando o senhor se esquece das coisas. Mas eu simplesmente não posso imaginar aquele homem como Cassetti. Pense o que a minha filha vai dizer...

Poirot ajudou a velha senhora a recolocar os objetos na maleta que trouxera e acompanhou-a até a porta. No último instante, murmurou:

— Deixou cair o lenço, Madame.

Mrs. Hubbard examinou o pequeno quadrado de cambraia que ele lhe apresentava.

— Não é o meu, M. Poirot. O meu está aqui.

— *Pardon*. Pensei que, como tem a inicial H...

— Bem, é curioso, mas este lenço, realmente, não é meu. Os meus são marcados C.M.H., e são coisas razoáveis, não preciosidades parisienses. De que vale um lenço desses para o nariz de alguém?

Ninguém pareceu ter uma resposta para a pergunta, e Mrs. Hubbard saiu triunfante.

5
O depoimento da dama sueca

— Não consigo entender. — Bouc segurava o botão deixado por Mrs. Hubbard. — Parece que, no fim de tudo, Pierre Michel está metido nisso de alguma forma, não? — Sem obter resposta de Poirot, resolveu perguntar: — O que acha, meu amigo?

— O botão indica algumas possibilidades — disse Poirot, pensativo. — Vamos entrevistar a senhora sueca antes de discutir o indício que conseguimos achar.

Poirot procurou o passaporte da dama sueca na pilha à sua frente.

— Ah, aqui está ele. Greta Uhlsson, 41 anos.

Bouc deu instruções ao garçom, e em seguida a mulher de cabelos louro-acinzentados e rosto comprido apresentava-se a eles. Observou Poirot por cima dos olhos, mas permaneceu muito calma. Sabia-se que ela compreendia e falava francês, de modo que a conversa desenrolou-se naquele idioma. De início, Poirot fez-lhe perguntas para as quais já possuía resposta: nome, idade, endereço. Em seguida, perguntou qual a sua ocupação.

Era, contou, uma das mais antigas enfermeiras formadas de uma escola de missionárias em Istambul.

— A senhorita sabe, é claro, o que aconteceu na noite passada, não?

— Naturalmente. Foi horrível. E a senhora americana me disse que o assassino esteve em sua cabina.

— Soube, Mademoiselle, que a senhorita foi a última pessoa a vê-lo vivo.

— Não sei, pode ser que sim. Abri a porta da cabina dele por engano. Fiquei muito envergonhada. Foi muito aborrecedor.

— A senhora realmente o viu?

— Sim. Ele lia um livro. Pedi desculpas e saí depressa.

— Ele lhe disse alguma coisa?

A solteirona enrubesceu.

— Ele riu e disse umas poucas palavras. Eu... eu não ouvi bem.

— E o que fez depois disso, Mademoiselle? — perguntou Poirot, fugindo propositadamente ao assunto.

— Fui à cabina da senhora americana, Mrs. Hubbard. Pedi-lhe uma aspirina, e ela me atendeu.

— Ela lhe perguntou se a porta que dá para a cabina de Ratchett estava trancada?

— Sim.

— E estava?

— Sim.

— E depois disso?

— Depois voltei à minha cabina, tomei a aspirina e me deitei.

— A que horas foi tudo isso?

— Quando me deitei eram 22h55. Sei porque olhei o relógio e dei-lhe corda.

— Dormiu logo?

— Não tão imediatamente. Minha cabeça tinha melhorado, mas fiquei acordada ainda por algum tempo.

— O trem já tinha parado quando dormiu?

— Não sei bem, acho que não. Paramos, creio eu, numa estação, quando eu comecei a cochilar.

— Com certeza era Vincovci. Agora, Mademoiselle, sua cabina é esta aqui? — Poirot apontou na planta do vagão.

— Sim, é essa.

— A senhora está com o leito superior?

— O inferior, número 10.

— Tem uma companheira de cabina?

— Sim, a jovem inglesa. Muito bonita, muito amável. Ela vem de Bagdá.

— Depois de o trem ter deixado Vincovci, ela saiu da cabina?

— Não. Tenho certeza que não.

— Como está tão certa se estava dormindo?

— Tenho um sono muito leve. Estou acostumada a acordar com qualquer ruído. Se ela tivesse levantado da cama, eu teria acordado, na certa.

— E a senhora saiu alguma vez?

— Não, até de manhã.

— Tem um robe de seda vermelha, Mademoiselle?

— Não, senhor.

— E sua companheira de cabina, Miss Debenham? De que cor é o robe dela?

— De púrpura, pálido, do tipo dos que se compram no Oriente.

Poirot assentiu, e disse num tom amável:

— A propósito de que está viajando, Mademoiselle? Férias?

— Sim. Vou em férias para casa. Mas primeiro ficarei mais ou menos uma semana com minha irmã em Lausanne.

— Poderia conceder-me a gentileza de escrever aqui o nome e o endereço de sua irmã?

— Com prazer — respondeu, pegando o lápis e o papel que ele lhe estendera, e escrevendo o que lhe fora pedido.

— Esteve alguma vez nos Estados Unidos, Mademoiselle?

— Não. Quase fui uma vez. Iria em companhia de uma senhora inválida, mas a viagem foi cancelada na última hora. Lamentei muito. Os americanos são muito bons. Ajudam escolas e hospitais com muito dinheiro. São muito práticos.

— A senhora se lembra de ter ouvido falar no caso Armstrong?

— Não. O que foi?

Poirot explicou. Greta Ohlsson mostrou-se indignada.

— Não sei como pode haver tanta gente ruim neste mundo! É um desafio à fé. Pobre mãe. Quanto sinto por ela!

A sueca saiu, o rosto enrubescido, os olhos úmidos. Poirot ficou rabiscando umas anotações.

— Que escreve aí, meu caro? — perguntou Bouc.

— *Mon cher*, é meu costume ser organizado. Estou organizando uma tábua cronológica de eventos.

Terminou de escrever e passou o papel a Bouc.

21h15 — O trem deixa Belgrado.

Cerca de 21h40 — O valete deixa Ratchett, colocando a pílula para dormir à sua cabeceira.

Cerca de 22h — MacQueen deixa Ratchett.

Cerca de 22h40 — Greta Ohlsson vê Ratchett (última vez vivo).
N.B. — Acordado, lendo um livro.

0h10 — O trem parte de Vincovci (atrasado).

0h30 — O trem entra na nevasca.

0h37 — A campainha de Ratchett toca.
O condutor atende. Ratchett diz:
Ce n'est rien. Je me suis trompé.

Cerca de 1h17 — Mrs. Hubbard acha que há um homem na sua cabina. Chama o condutor

Bouc fez um gesto de aprovação com a cabeça: tudo muito claro.

— Há alguma coisa — perguntou Poirot — que lhe chame a atenção em especial?

— Não, parece tudo equacionado. Parece certo que o crime ocorreu à 1h15. O relógio nos indica isso e a história de Mrs. Hubbard se enquadra bem aí. Já dá até para arriscar um palpite sobre o assassino. Na minha opinião, foi o italiano grandalhão. Ele veio da América; Chicago. E, lembre-se, a faca é a arma preferida pelos italianos, que sempre esfaqueiam mais de uma vez.

— É verdade.

— Sem dúvida, esta é a solução de todo o mistério. Com certeza ele e Ratchett estavam no negócio dos sequestros. Cassetti é um nome italiano. De algum modo, Ratchett fez o que eles entendem por *passar a perna*. O italiano o persegue, primeiro com cartas, e, finalmente, vinga-se de modo brutal. Tudo muito simples.

Poirot balançou a cabeça, demonstrando duvidar.

— Não é tão simples quanto parece.

— Não, estou convencido de que foi assim — repetiu Bouc, mostrando-se cada vez mais certo das coisas.

— E o que dizer do valete com dor de dente que jura que o italiano não saiu da cabina?

— É este o problema.

— Sim — Poirot piscou os olhos —, é aborrecedor. Muito ruim para a sua tese; muito bom para o italiano que o valete de Ratchett tenha ficado com dor de dente.

— Tudo se explicará — asseverou Bouc.

— Não — Poirot balançou a cabeça outra vez —, as coisas não são tão simples assim...

6
O depoimento da princesa russa

— Vejamos o que Pierre Michel tem a dizer sobre este botão — adiantou Poirot.

O condutor foi chamado novamente. Olhou-os com curiosidade. Bouc pigarreou.

— Michel — disse o diretor —, aqui está um botão da sua túnica. Foi encontrado na cabina da senhora americana. O que me diz disso?

Automaticamente o condutor conferiu com a mão os botões da sua túnica.

— Não perdi nenhum dos botões, Monsieur. Deve haver algum engano.

— Isto é muito estranho.

— Não posso dar-lhe contas sobre o botão, Monsieur.

O homem parecia apavorado, mas não aparentava ter qualquer culpa ou estar confuso.

Bouc disse-lhe significativamente:

— Dadas as circunstâncias em que foi encontrado, parece óbvio que este botão foi perdido pelo homem que estava na cabina de Mrs. Hubbard na noite passada, quando ela tocou a campainha.

— Mas, Monsieur, não havia ninguém lá. A senhora deve ter imaginado tudo.

— Ela não sonhou, Michel. O assassino de Mr. Ratchett passou por ali e deixou este botão.

À medida que Bouc se tornava mais incisivo, Pierre Michel agitava-se mais e mais.

— Não é verdade, Monsieur, não é verdade! O senhor está me acusando do crime. Sou inocente. Absolutamente inocente. Por que iria matar um homem que eu nunca tinha visto antes?

— Onde você estava quando Mrs. Hubbard tocou a campainha?

— Já lhe disse, Monsieur; no outro carro, conversando com um colega.

— Nós vamos perguntar a ele.

— Por favor, faça isso, Monsieur. Imploro-lhe que faça.

O condutor do outro carro foi chamado e imediatamente confirmou o depoimento de Pierre Michel, acrescentando que o condutor do carro de Bucareste também estivera com eles. Os três tinham discutido o problema causado pela neve mais ou menos por uns dez minutos, quando Michel ouviu a campainha. Abriram a porta entre os dois vagões, e todos a ouviram tocar e tocar. Michel correu para atender.

— Como o senhor vê, Monsieur, sou inocente — gritou Michel angustiado.

— E como explica este botão?

— Não posso explicar, Monsieur. É um mistério para mim. Os meus botões estão intactos.

Todos os outros condutores negaram a perda de qualquer botão, e disseram não ter entrado na cabina de Mrs. Hubbard em ocasião alguma.

— Acalme-se Michel — disse Bouc. — Concentre-se por um momento na hora em que correu para atender a campainha de Mrs. Hubbard. Viu alguém no corredor?

— Novamente não, Monsieur.

—Viu alguém indo do corredor para algum outro lugar?

— De novo não, Monsieur.

— Curioso — comentou Bouc.

— Não tanto assim — interrompeu Poirot —; é uma questão de tempo. Mrs. Hubbard acorda procurando alguém na cabina. Por um minuto ou dois, fica paralisada, seus olhos fechados. Provavelmente foi quando o homem saiu para o corredor. Aí é que ela começa a tocar a campainha. Mas o condutor demora um pouco. Só no terceiro ou quarto toque é que ele atende. Eu diria que houve muito tempo...

— Para quê? Para quê, *mon cher*? Lembre-se de que há grossas camadas de gelo em volta de todo o trem.

— Há duas saídas para o nosso assassino — disse Poirot vagarosamente. — Ele poderia ter ido para um dos lavatórios; ou desaparecido numa das cabinas.

— Mas todas estão ocupadas.

— Sim.

— Quer dizer que ele poderia ter voltado à sua própria cabina?

Poirot concordou.

— Pode ser, pode ser. Na ausência do condutor, por uns dez minutos, o assassino sai de sua cabina, vai à de Ratchett, mata-o, tranca a porta por dentro, passa para a cabina de Mrs. Hubbard e chega com segurança à sua própria cabina, antes de o condutor aparecer.

— Não é tão simples assim — murmurou Poirot. — Nosso amigo doutor vai dizer-lhe por quê.

Com um gesto, indicou aos condutores que eles deviam sair.

— Temos ainda de interrogar oito passageiros — disse Poirot —, cinco da primeira classe: princesa Dragomiroff, o conde e a condessa Andrenyi, o coronel Arbuthnot e Mr. Hardman; três da segunda classe: Miss Debenham, Antonio Foscarelli e a dama de companhia, Fraulein Schmidt.

— Quem será o primeiro? O italiano?

— Como você persegue esse italiano! Não, comecemos pelo alto. Talvez Madame la Princesse queira distinguir-nos com alguns minutos do seu tempo. Leve-lhe o recado, Michel.

— *Oui*, Monsieur — disse o condutor, que já estava saindo do carro.

— Diga-lhe que poderemos ir à sua cabina, se ela não quiser dar-se ao incômodo de vir até aqui — recomendou Bouc.

A princesa Dragomiroff declinou da alternativa. Chegou ao carro-restaurante, inclinou-se num cumprimento e sentou-se em frente a Poirot. Seu rosto pequeno parecia mais amarelecido que no dia anterior. Ela era certamente feia, mas, como as rãs, seus olhos pareciam joias. Escuros e altivos, denotavam uma energia latente e uma força intelectual que se fazia sentir de imediato. A voz era profunda, distinta, autoritária. Foi logo interrompendo as justificativas de Bouc:

— Não precisam apresentar quaisquer desculpas, senhores. Sei que alguém cometeu um assassinato. Naturalmente, os senhores precisam ouvir todos os passageiros. Estou contente em poder servi-los.

— A senhora é muito amável, Madame — disse Poirot.

— Nem tanto. Trata-se de uma obrigação. O que desejam saber?

— Seu nome completo e endereço, Madame. Talvez prefira escrevê-los a senhora mesma?

Poirot estendeu-lhe uma folha de papel e um lápis, mas a princesa deixou-os de lado.

— O senhor pode escrevê-los. Não há qualquer dificuldade: Natália Dragomiroff, avenue Kléber 17, Paris.

— A senhora, de Constantinopla, está indo para casa?

— Sim, passei algum tempo na Embaixada Austríaca. Minha dama de companhia viaja comigo.

— Poderia fazer-nos a gentileza de relatar seus movimentos à noite passada, da hora do jantar em diante?

— Com prazer. Disse ao condutor para preparar-me a cama enquanto estivesse no carro-restaurante. Recolhi-me logo após o jantar. Li até mais ou menos 11 horas, quando apaguei a luz. Mas não consegui dormir, pois sentia umas dores reumáticas. Cerca de 0h45, chamei minha dama de companhia. Ela me fez uma massagem e leu para mim até que comecei a sentir-me sonolenta. Não sei exatamente a hora em que ela se retirou. Pode ter sido meia hora depois, talvez mais.

— O trem já havia parado?

— O trem estava parado.

— A senhora não ouviu nada... nada de estranho, durante esse tempo, Madame?

— Nada de anormal.

— Qual é o nome de sua dama de companhia?

— Hildegarde Schmidt.

— Trabalha para a senhora há muito tempo?

— Há 15 anos.

— Considera-a de confiança?

— Absoluta. Sua família era de uma das propriedades de meu marido na Alemanha.

— Já esteve na América, presumo, Madame?

A súbita mudança de assunto fez com que a velha dama levantasse as sobrancelhas.

— Muitas vezes.

— A senhora se dava com uma família de nome Armstrong, com a qual aconteceu uma tragédia?

Com a voz embargada de certa emoção, a dama respondeu:

— O senhor está falando de amigos meus, Monsieur.

— Então conhecia bem o coronel Armstrong?

— Conhecia-o pouco. Mas sua esposa, Sônia Armstrong, era minha afilhada. Eu era muito amiga da mãe dela, a atriz Linda Arden, uma das melhores da América. Ninguém a superava como Lady Macbeth ou Magda. Eu não apenas admirava a sua arte, como era sua amiga pessoal.

— Ela morreu?

— Não, não, está viva, mas vive em completo recolhimento. Seu estado de saúde é de inspirar cuidados; fica deitada num sofá a maior parte do tempo.

— Havia, creio eu, uma segunda filha?

— Sim, bem mais nova que Mrs. Armstrong.

— E ela está viva?

— Certamente.

— Onde ela está?

A velha senhora lançou-lhe um olhar incisivo.

— Devo perguntar-lhe a razão dessas questões. Que elas têm a ver com o caso em questão, o assassinato neste trem?

— Elas estão inter-relacionadas, Madame. O homem assassinado foi o responsável pelo sequestro e a morte da filha de Mrs. Armstrong.

— Ah! — A princesa Dragomiroff empertigou-se. — Pelo que vejo, então, este homicídio foi uma coisa admirável! Perdoe-me esse ponto de vista estritamente pessoal...

— É muito natural, Madame. Mas voltemos à pergunta que deixou de responder. Onde está a irmã mais nova de Mrs. Armstrong, também filha de Linda Arden?

— Honestamente não sei, Monsieur. Perdi o contato com a geração mais nova. Creio ter-se casado com um inglês há alguns anos e ido para a Inglaterra. Mas não consigo lembrar o nome do marido.

A princesa fez uma pausa e perguntou:

— Há mais alguma coisa que desejem de mim, senhores?

— Só mais uma coisa, Madame, uma pergunta um tanto pessoal: a cor do seu robe?

— Devo supor que existe uma razão para a pergunta. Meu robe é de cetim azul.

— Não há mais nada, Madame. Sou-lhe profundamente grato por ter respondido às minhas perguntas tão prontamente.

A velha senhora acenou com a mão cheia de anéis. Levantou-se, os outros levantando-se com ela. Mas, de repente, parou.

— Perdoe-me, Monsieur, mas posso perguntar-lhe o seu nome? Seu rosto me parece familiar.

— Meu nome, Madame, é Hercule Poirot... às suas ordens.

Ela permaneceu um minuto em silêncio e disse:

— Hercule Poirot... sim, lembro-me agora. Isto é coisa do Destino.

Caminhou para a porta, ereta, os movimentos controlados.

— *Voilà une grande dame* — comentou Bouc —, que acha dela, meu amigo?

Hercule Poirot, entretanto, limitou-se a sacudir a cabeça.

— Fico pensando no que ela queria dizer ao falar em destino.

7
O depoimento do conde e da condessa Andrenyi

Os seguintes seriam o conde e a condessa Andrenyi. Entretanto, o conde entrou só no carro-restaurante. Era um homem de excelente aparência, visto de perto. Tinha, pelo menos, 1,80m de altura, ombros largos e cintura fina. Usava um terno de *tweed* inglês muito bem-cortado e, não fosse pelo bigode e qualquer coisa nas maçãs do rosto, passaria tranquilamente por inglês.

— Bem, Messieurs, que posso fazer pelos senhores?

— O senhor compreende, Monsieur — disse Poirot —, que, em vista do acontecido, sou obrigado a formular algumas perguntas a todos os passageiros.

— Perfeitamente, perfeitamente. Compreendo bem a sua posição. Entretanto, temo que eu e minha mulher tenhamos pouco para ajudá-los. Nós dormíamos e não ouvimos nada.

— O senhor está a par da identidade do morto, Monsieur?

— Entendo que era o americano, um homem decididamente mal-encarado. Ele vinha ao carro-restaurante à hora das refeições. — Indicou com a cabeça a mesa em que Ratchett e MacQueen costumavam sentar.

— Sim, sim, Monsieur. O senhor está inteiramente certo. Mas o que eu queria lhe perguntar é se sabia o nome do homem.

— Não. — O conde pareceu intrigado com as perguntas de Poirot. — Se quer saber o seu nome, por que não vê no passaporte?

— O nome no passaporte é Ratchett — disse Poirot —, mas não é o verdadeiro, Monsieur. Ele é Cassetti, o responsável por um célebre sequestro nos Estados Unidos.

O detetive olhava o conde atentamente, mas ele não pareceu sentir qualquer efeito pela notícia.

— Ah! — observou. — Isto certamente ajudará a desvendar o mistério. Um bom lugar, a América.

— O senhor esteve lá, talvez, Monsieur le Comte?

— Estive um ano em Washington.

— Conhecia, talvez, a família Armstrong?

— Armstrong... Armstrong... é difícil lembrar... conheci tanta gente... Mas, para voltar ao assunto, que mais posso fazer pelos senhores?

— O senhor recolheu-se para descansar... a que horas, Monsieur le Comte? — Os olhos de Poirot baixaram para a planta do trem à sua frente. O conde e a condessa ocupavam as cabinas 12 e 13, adjacentes.

— Uma de nossas cabinas foi preparada para a noite enquanto estávamos no carro-restaurante. De volta, sentamo-nos na outra por algum tempo...

— Qual o número desta que mencionou?

— Número 13. Jogamos um pouco de *picquet*. Por volta das 23 horas, minha mulher retirou-se para dormir. O condutor preparou minha cabina e fui também deitar-me. Dormi profundamente até de manhã.

— Notou a parada do trem?

— Não notei nada, até de manhã.

— E sua senhora?

O conde disse, sorrindo:

— Minha mulher sempre toma uma pílula para dormir, quando viaja de trem. Tomou sua dose usual de Trional. Lamento não poder ajudá-los de maneira alguma.

Poirot passou-lhe uma caneta e uma folha de papel.

— Muito obrigado, Monsieur le Comte. Por mera formalidade, poderia dar-me seu nome e endereço?

O conde os escreveu vagarosa e cuidadosamente.

— Foi bom que me deixassem escrever. A grafia do nome da nossa província é complicada para os que não estão habituados ao idioma.

Passou o papel a Poirot e levantou-se.

— Não será necessário a minha esposa vir até aqui — disse ele —; ela não poderá dizer-lhes mais do que eu disse.

— Sem dúvida, sem dúvida — observou Poirot, os olhos brilhando —, mas ainda assim gostaria de ter apenas uma palavra com Madame la Comtesse.

— Asseguro-lhe que não é preciso. — A voz do conde era autoritária.

— Será apenas uma formalidade — ponderou Poirot — mas, compreenda, senhor, preciso ouvi-la para o meu relatório.

— Como quiser.

O conde inclinou-se, despedindo-se, e deixou o carro--restaurante.

Poirot procurou um passaporte na pilha. Trazia o nome do conde, seus títulos e a informação: acompanhado de sua esposa, Elena Maria; nome de solteira, Goldenberg; idade, vinte anos. Uma mancha de tinta de carimbo fora deixada nele por algum funcionário descuidado.

— Passaporte diplomático — observou Bouc —; temos de ser cuidadosos, *mon cher*, para não ofendê-los. Estas pessoas não têm nada a ver com o crime.

— Tenha calma, *mon vieux*. Terei tato. Mera formalidade...

O detetive baixou a voz à chegada da condessa Andrenyi ao carro-restaurante. Parecia tímida, mas extremamente charmosa.

— Desejavam ver-me, Messieurs?

— Apenas uma formalidade, Madame la Comtesse. — Poirot levantou-se, inclinou-se e ajudou-a a sentar-se à sua frente. — Apenas para perguntar-lhe se viu ou ouviu qualquer coisa de anormal à noite passada.

— Nada de anormal, Monsieur. O senhor sabe, eu tomei uma pílula para dormir...

— Ah, compreendo. Bem, não desejo tomar o seu tempo — comentou Poirot; mas, ao vê-la levantar-se, ressalvou —, apenas um minuto: estão certos o seu nome, endereço e idade?

— Tudo certo, Monsieur.

— Talvez queira assinar este papel, para dar-lhe autenticidade.

A condessa assinou rapidamente, numa caligrafia graciosa: Elena Andrenyi.

— A senhora acompanhou seu marido à América, Madame?

— *Non*, Monsieur — sorriu —, não tínhamos nos casado ainda. Estamos casados há um ano apenas.

— Ah, sim, obrigado, Madame. Por falar nisso, seu marido fuma?

— Sim.

— Cachimbo?

— Não; cigarros e charutos.

— Ah, obrigado.

Ela levantou-se. Seus olhos observaram-no curiosamente. Uns olhos bonitos, escuros, amendoados, os cílios negros e muito compridos, contrastando com a brancura das faces. Os lábios, muito vermelhos. Parecia exoticamente linda.

— Por que me perguntou aquilo?

— Madame — desculpou-se Poirot —, detetives têm de fazer todo tipo de perguntas. Por exemplo, poderia dizer-me a cor de seu robe?

— É de *chiffon* cor de mel — respondeu com um sorriso —, mas isso tem alguma importância?

— É muito, muito importante, Madame.

— O senhor é mesmo um detetive? — perguntou ela, curiosa.

— A seu serviço, Madame.

— Pensei que não houvesse detetives no trem quando passássemos pela Iugoslávia. Pelo menos até que chegássemos à Itália...

— Não sou um detetive iugoslavo, Madame. Sou um detetive internacional.

— O senhor é da Liga das Nações?

— Eu sou do mundo, Madame — disse Poirot de modo dramático —, mas trabalho quase sempre em Londres. Fala inglês?

— *I speak a* LEETLE, *yes.* — Seu sotaque era sensual.

Poirot inclinou-se mais uma vez.

— Não tomaremos mais seu tempo, Madame. Como vê, não foi tão terrível assim.

Ela sorriu, inclinou a cabeça e partiu.

— *Elle est jolie femme* — comentou Bouc com um suspiro. — Bem, isto não nos adiantou muito.

— Não — disse Poirot —, duas pessoas que não viram nem ouviram nada.

— Vamos agora ver o italiano?

Poirot não respondeu: estava observando um pingo de tinta em um passaporte diplomático húngaro.

8
O depoimento do coronel Arbuthnot

Poirot levantou o olhar, voltando-se para Bouc.

— Ah, meu velho amigo, como vê, eu me transformei naquilo que costumam chamar de esnobe. A primeira classe deve ser atendida antes da segunda. Assim, creio, o próximo deve ser o coronel Arbuthnot.

Considerando que o francês seria uma descortesia para o coronel britânico, Poirot conduziu o interrogatório em inglês. Primeiro, anotou o nome, idade, endereço e posto militar. Em seguida, perguntou:

— O senhor vem da Índia licenciado, aquilo que chamamos *en permission*?

Desinteressado sobre o que qualquer estrangeiro pudesse chamar qualquer coisa, Arbuthnot respondeu com a brevidade britânica:

— Sim.

— Mas o senhor não volta para casa no *P&O Boat*?

— Não.

— Por que não?

— Só a mim interessa por que preferi viajar por terra.

— O senhor veio direto da Índia?

O coronel respondeu secamente:

— Parei uma noite para ver Ur, na Caldeia, e três dias em Bagdá, com o comandante, que, por coincidência, é meu amigo.

— O senhor ficou três dias em Bagdá. Creio que a jovem inglesa, Miss Debenham, também vem de Bagdá. O senhor encontrou-se com ela por lá?

— Não. Conheci Miss Debenham no comboio de Kirkuk para Nissibin.

Poirot inclinou-se para a frente, ao mesmo tempo em que se mostrava mais estranho e persuasivo do que nunca.

— Monsieur, estou a ponto de fazer-lhe um apelo. O senhor e Miss Debenham são os dois únicos cidadãos ingleses neste trem. É preciso que eu pergunte o que acham um do outro.

— Muito irregular — comentou o coronel friamente.

— Nem tanto. O senhor compreende, este crime parece ter sido cometido por uma mulher. O homem foi esfaqueado nada menos de 12 vezes. Até o chefe do trem disse, certa vez, que isso era trabalho de mulher. Que faço eu? Entrevisto todas as mulheres, e pergunto o que os homens acham delas. Mas julgar uma inglesa é diferente. Os ingleses são muito reservados. Assim, rogo-lhe em nome da Justiça: que tipo de pessoa é Miss Debenham? Que sabe a respeito dela?

— Miss Debenham — disse o coronel, com certo carinho na voz — é uma *lady*.

— Ah! — exclamou Poirot mostrando-se agradecido —, então o senhor acha que ela não pode estar implicada no crime?

— A ideia é absurda. O homem lhe era completamente estranho. Ela jamais o vira antes.

— Ela lhe disse isto?

— Sim. Ela comentou sua aparência desagradável. Se há uma mulher envolvida, como o senhor parece pensar, e para mim sem qualquer razão, a não ser sua imaginação, posso assegurar-lhe que Miss Debenham não é a pessoa indicada.

— O senhor pensa no caso com carinho — comentou Poirot com um sorriso.

— Não sei o que possa estar querendo dizer — disse Arbuthnot, dando-lhe um olhar frio.

— Vamos ser práticos — observou Poirot —; este crime, podemos todos crer... foi cometido à 1h15 da noite passada. É parte da rotina perguntar a todos o que faziam a esta hora.

— Perfeitamente. À 1h15 eu estava conversando com o jovem americano, secretário do morto.

— O senhor estava na cabina dele ou ele estava na sua?

— Eu estava na dele.

— A cabina do jovem chamado MacQueen?

— Sim.

— Ele era seu amigo ou conhecido?

— Não, nunca o vi antes desta viagem. Entramos numa conversa casual e ficamos interessados no assunto. De um modo geral, não gosto de americanos...

Poirot sorriu, lembrando que MacQueen dissera o mesmo dos britânicos.

— Mas simpatizei com o rapaz. Ele tinha umas ideias tolas sobre a situação na Índia. Isso é o pior nos americanos: eles são idealistas sentimentais. Bem, ele se interessou pelo que eu pensava, depois de quase trinta anos na Índia. E eu me interessei pelo que ele tinha a dizer sobre a situação econômica nos Estados Unidos. Então começamos a discutir política internacional em geral. E fiquei surpreso ao olhar o relógio e ver que já era 1h45.

— Foi essa a hora que interromperam a conversa?

— Sim.

— Que fez então?

— Fui para a minha cabina.

— A cama já estava feita?

— Sim.

— É esta, a cabina... deixe-me ver... número 15, a penúltima antes do carro-restaurante?

— Sim.

— Onde estava o condutor quando foi para a sua cabina?

— Sentado lá no fundo. Na verdade, MacQueen chamou-o quando eu saía.

— Chamou-o para quê?

— Para fazer-lhe a cama, suponho. A cabina não havia sido arrumada ainda para a noite.

— Agora, coronel Arbuthnot, quero que pense cuidadosamente. Enquanto estava com MacQueen, alguém passou pelo corredor?

— Um bocado de gente, creio eu. Não estava prestando atenção.

— Ah! Mas estou me referindo a, digamos, durante a última hora e meia da sua conversa. Os senhores saíram em Vincovci, não?

— Sim, mas só por um minuto. Estava muito frio. Frio a ponto de darmos graças a Deus por podermos sair dele, embora eu ache que eles superaquecem esses trens.

— É muito difícil agradar a todos — justificou Bouc —; os ingleses abrem tudo; depois vêm os outros fechando tudo. É muito difícil.

Poirot e Arbuthnot não lhe deram maior atenção.

— Agora, Monsieur, concentre-se um pouco. Estava frio lá fora. Os senhores voltaram ao trem. Sentaram-se novamente. O senhor fumou, um cigarro, um cachimbo...

— Cachimbo. MacQueen fumava cigarros.

— O trem sai novamente. O senhor fuma seu cachimbo. Discutem a situação da Europa, do mundo. É tarde. A maior parte das pessoas já se recolheu. Alguém passa no corredor?

— Difícil de dizer — Arbuthnot fez um esforço de memória —, o senhor sabe, eu não prestei atenção.

— Mas o senhor tem o senso de observação de soldado. O senhor nota as coisas sem notar, digamos assim.

— Não, não poderia dizer. Não me lembro de ninguém, exceto do condutor. Espere um momento... Sim, houve uma mulher, acho eu.

— O senhor a viu? Jovem, velha?

— Não, não a vi. Eu não olhava naquela direção. Só um vulto e um perfume.

— Perfume? Um bom perfume?

— Um cheiro de frutas, se sabe o que quero dizer. Mas isto pode ter sido bem mais cedo na noite. O senhor sabe, é uma dessas coisas que a gente nota sem notar, como o senhor mesmo diz. Lembro-me de ter dito para mim mesmo: mulher, perfume forte. Mas não posso dizer-lhe quando foi isso, a não ser que... sim, deve ter sido depois de Vincovci.

— Por quê?

— Porque eu me lembro de ter sentido o cheiro quando falávamos do plano quinquenal de Stalin. A mulher trouxe-me a lembrança da situação das mulheres na União Soviética. E só falamos da União Soviética no final da conversa.

— O senhor não pode ser um pouco mais exato?

— Não, não. Deve ter sido na última meia hora.

— Depois de o trem ter parado?

O coronel concordou:

— Sim, estou certo que sim.

— Bom, mudemos de assunto. O senhor já esteve na América, coronel?

— Nunca. Nem quero ir.

— Conheceu alguma vez um coronel Armstrong?

— Armstrong... Armstrong... Conheci uns dois ou três. Havia Tommy Armstrong do 60º... E Selby Armstrong, que morreu no Somme.

— Falo do coronel Armstrong que se casou com uma americana e cuja filha foi sequestrada e morta.

— Ah, sim. Lembro-me de ter lido a respeito. Um caso chocante. Mas não creio ter conhecido o sujeito, embora, é claro, tenha ouvido falar dele. Uma carreira brilhante. Recebeu a V.C.

— O homem morto na noite passada foi o responsável pelo assassinato da filha de Armstrong.

O rosto de Arbuthnot assumiu um ar preocupado.

— Então, na minha opinião, o suíno mereceu o que recebeu. Embora eu preferisse vê-lo enforcado... ou eletrocutado, como se faz por lá.

— O senhor prefere de fato a lei e a ordem à vingança pessoal?

— Bem, não se pode ficar tendo duelos sangrentos ou esquartejando-se uns aos outros, como os corsos ou a Máfia. O júri é um bom sistema.

— Sim — Poirot observou-o por um minuto ou dois —, estou certo de que seria assim com o senhor. Bem, não creio que haja mais alguma coisa a perguntar-lhe. Há algo de que se possa lembrar que agora lhe pareça suspeito?

— Não — disse Arbuthnot depois de pensar um pouco —, nada. A não ser...

— Sim, continue, eu lhe peço.

— Bem, não é nada realmente, mas o senhor disse alguma coisa...

— Sim, sim, prossiga.

— Não é nada, apenas um detalhe. Apenas, quando voltei à minha cabina, notei que a última porta, o senhor sabe...

— Sim, número 16.

— Bem, a porta não estava bem-fechada. E a pessoa lá dentro espiava para fora de um modo furtivo. Depois, bateu a porta rapidamente. Claro que não há nada de extraordinário nisso, mas pareceu-me esquisito.

Quero dizer, é muito comum abrir-se uma porta e pôr a cabeça para fora, quando se quer ver alguma coisa. Mas a maneira furtiva com a qual ele o fez me chamou a atenção.

— Sim — concordou Poirot, meio em dúvida.

— Eu lhe disse que não era nada — justificou Arbuthnot —, mas sabe como é, madrugada, tudo calmo, a coisa pareceu sinistra. Um contrassenso na verdade.

Arbuthnot levantou-se e disse:

— Bem, não creio que tenha mais alguma coisa.

— Obrigado, coronel Arbuthnot, não há mais nada.

O militar hesitou por um minuto. Sua irritação inicial por ser interrogado por estrangeiros desaparecera.

— Sobre Miss Debenham — disse contrafeito —, os senhores podem estar certos de que ela é direita. É uma *pukka sahib*.

Retirou-se.

— O que — perguntou o dr. Constantine — significa *pukka sahib*?

— Significa — respondeu Poirot — que o pai e os irmãos de Miss Debenham estiveram na mesma escola que o coronel Arbuthnot.

— Oh! — exclamou o médico, desapontado —, mas isso nada tem a ver com o crime.

— Exatamente — concordou Poirot, mergulhando em pensamentos e tamborilando com os dedos na mesa. Em seguida, levantou os olhos. — O coronel fuma cachimbo — recordou —, e na cabina de Mr. Ratchett havia um limpador de cachimbo. Ratchett só fumava charutos.

— Você acha...?

— Ele é o único entre os homens que admite fumar cachimbo. E sabia do coronel Armstrong... talvez na verdade o conhecesse, embora não o dissesse.

— Então acha possível que...

Poirot balançou a cabeça com energia.

— É exatamente isso... é impossível, realmente impossível, que um honrado, tolo e arrogante inglês esfaqueie um inimigo 12 vezes! Vocês não percebem, meus amigos, o quanto isto é impossível?

— Isso é psicologia — comentou Bouc.

— E é preciso respeitar a psicologia. Este crime tem uma assinatura, que é, evidentemente, a do coronel Arbuthnot. Mas passemos a outro passageiro.

Desta vez Bouc não mencionou o italiano. Mas pensou nele.

9
O depoimento de Mr. Hardman

O último dos passageiros da primeira classe a ser entrevistado — Mr. Hardman — era o americano grandalhão, de roupas e gestos berrantes, que se sentara à mesa com o italiano e o valete. Usava terno xadrez, camisa vermelha, um enorme alfinete de gravata e mascava qualquer coisa ao entrar no carro-restaurante. Seu rosto grande, corado, demonstrava bom humor.

— Bom dia, senhores — disse —, em que posso ajudá-los?

— Ouviu falar do assassinato, Mr... er... Hardman?

— Claro.

— Precisamos entrevistar todas as pessoas neste trem.

— Está tudo bem comigo. Acho que é a maneira de desvendar tudo.

Poirot consultou o passaporte à sua frente.

— O senhor é Cyrus Bethman Hardman. Cidadão norte-americano, quarenta anos de idade, caixeiro-viajante de fitas de máquinas de escrever?

— *O.k.*, sou eu.

— Está viajando de Istambul para Paris?

— Isso mesmo.

— Razão?

— Negócios.

— Viaja sempre de primeira classe, Mr. Hardman?

— Sim, a firma paga minhas despesas de viagem.

— Agora, Mr. Hardman, vamos aos acontecimentos da noite passada.

O americano concordou.

— O que pode dizer-nos sobre o assunto?

— Exatamente nada.

— Ah, é uma pena. Talvez, Mr. Hardman, possa dizer-nos o que fez exatamente, desde a hora do jantar.

Pela primeira vez o americano não pareceu pronto para responder. Finalmente, disse:

— Desculpem-me, senhores, mas quem são vocês?

— Este é M. Bouc, diretor da Compagnie des Wagons Lits. Este outro cavalheiro é o médico que examinou o corpo.

— E o senhor?

— Hercule Poirot, contratado pela companhia para investigar o crime.

— Já ouvi falar do senhor — disse Hardman —; então acho melhor colocar-me às claras.

— Certamente será bom para o senhor dizer-nos tudo o que sabe.

— O senhor teria toda a razão, se houvesse alguma coisa de que eu soubesse. Mas eu não sei e deveria saber, coisa que me irrita... Eu deveria saber...

— Por favor explique-se, Mr. Hardman.

O americano suspirou, tirou os chicletes da boca e enfiou a mão no bolso. Nesse meio-tempo, pareceu transfigurar-se. Deixava de ser um artista para assumir a aparência de uma pessoa normal. Até mesmo sua voz se modificou.

— Este passaporte é uma tapeação — confessou —, eis aqui quem sou eu realmente.

Poirot observou o cartão de visitas que lhe era passado. Bouc observou sobre seus ombros: Cyrus B. Hardman, Agência de Detetives McNeil, Nova York.

Poirot conhecia a empresa. Tratava-se de uma das mais famosas agências de Nova York.

— Agora, Mr. Hardman... vamos ver o que significa tudo isso.

— Claro. As coisas foram assim: vim à Europa atrás de uma dupla de vigaristas. Nada relacionado com este caso. O trabalho acabou em Istambul. Telegrafei ao chefe e recebi instruções para voltar, e já estaria em casa se não tivesse recebido isto — mostrou uma carta, com o timbre do Tokatlian Hotel.

A carta dizia:

Prezado senhor,

O senhor me foi indicado como funcionário da Agência McNeil de Detetives. Favor apresentar-se à minha suíte às quatro da tarde de hoje.

A assinatura era de S.E. Ratchett.

— *Eh bien?*

— Apresentei-me lá à hora marcada e Mr. Ratchett colocou-me a par da situação. Mostrou-me umas cartas que havia recebido.

— Estava alarmado?

— Fingia que não, mas estava. Fez-me uma proposta: eu deveria acompanhá-lo na viagem de trem e evitar que alguém o pegasse. Bem, senhores, eu tomei o mesmo trem e, apesar da minha presença, alguém o pegou. Eu certamente fiquei aborrecido. Não faz muito bem à minha reputação.

— Ele lhe deu alguma indicação de como deveria agir?

— Claro. Tinha tudo preparado. Achava que eu deveria viajar na cabina ao lado da dele, mas isto acabou tendo de ser deixado de lado. O único lugar disponível era o leito 16, e deu um trabalhão consegui-lo. Acho que o condutor gosta de guardá-lo. Mas, quando olhei bem, achei que o leito 16 era uma posição bem estratégica. Só havia o carro-restaurante na frente do carro-dormitório de Istambul, e a porta dianteira permanecia trancada toda a noite. A única maneira de alguém entrar seria pela porta traseira, passando pela minha cabina.

— O senhor, creio eu, não tinha ideia da identidade do possível criminoso.

— Bem, sabia como ele era. Mr. Ratchett o havia descrito.

— O quê?

— Um homem baixo — Hardman prosseguiu —, com uma voz afeminada. Foi o que o velho disse. Disse, também, que ele não deveria atacar na primeira noite. Talvez na segunda ou na terceira.

— Ele sabia de alguma coisa — comentou Bouc.

— Certamente mais do que contou ao secretário — acrescentou Poirot, de modo pensativo. — Disse-lhe alguma coisa sobre esse inimigo? Por exemplo, por que sua vida estava em perigo?

— Não, ele se mostrou muito reticente a esse respeito. Apenas que havia alguém atrás dele e queria o seu sangue.

— Um homem baixo, moreno, de voz afeminada — lembrou Poirot. — Certamente — Poirot foi incisivo — o senhor sabia quem era ele?

— Quem, senhor?

— Ratchett. Reconheceu-o?

— Não compreendo.

— Ratchett era Cassetti, o assassino dos Armstrong.

Hardman deu um longo assovio.

— Isso é realmente uma surpresa! Sim, senhor! Não, não o reconheci. Estava no Oriente quando o caso se deu. Creio ter visto fotografias dele nos jornais, mas não reconheceria minha própria mãe numa fotografia tirada por fotógrafo de jornal. Bem, não duvido que muita gente gostaria de ter Cassetti à sua frente.

— Conhece alguém ligado ao caso Armstrong que pudesse se enquadrar na descrição, baixo, moreno, de voz afeminada?

— Difícil de dizer. Quase todo mundo ligado ao caso já morreu.

— Havia a garota que se jogou da janela, lembra-se?

— Sim, um bom ponto. Ela era estrangeira, talvez tivesse parentes. Mas é preciso lembrar que houve outros casos ligados ao dos Armstrong. Cassetti andou mandando no negócio dos sequestros por algum tempo. Não se deve ficar concentrado naquele caso só.

— Ah, mas nós temos razões para crer que este caso está ligado ao dos Armstrong.

Hardman aguçou o olhar. Poirot não respondeu. O americano sacudiu a cabeça.

— Não consigo me lembrar de ninguém que corresponda à descrição, no caso Armstrong — disse, devagar —, mas eu não estava no caso, nem soube muito a respeito.

— Bem, continue a narrativa, Mr. Hardman.

— Há pouco a acrescentar. Eu dormia durante o dia e ficava acordado à noite, vigiando. Na primeira noite, não aconteceu nada de suspeito. O mesmo na noite passada, pelo que me concerne. Mantive a porta entreaberta e observei. Não passou ninguém.

— O senhor tem certeza, Mr. Hardman?

— Toda. Ninguém entrou no trem, de fora, nem dos outros vagões lá de trás. Posso jurar isso.

— Do seu lugar, podia ver o condutor?

— Claro. Ele senta-se num banco quase em frente à minha porta.

— Ele deixou o lugar dele depois do trem parar em Vincovci?

— Aquela foi a última estação? Sim, ele atendeu a um par de chamados, logo após o trem ter parado. Depois, passou por mim e foi para o carro de trás. Mais ou menos por um quarto de hora. Havia uma campainha tocando desesperadamente quando ele voltou correndo. Fui ao corredor ver o que era aquilo, mas tratava-se apenas da senhora americana. Ela fazia um escândalo danado sobre qualquer coisa. Depois ele foi a outra cabina, saiu, e voltou com uma garrafa de água mineral para alguém. Finalmente, sentou-se no lugar dele até que foi fazer a cama de alguém lá no fundo. Não creio que tenha saído do seu lugar até umas cinco da manhã.

— Ele cochilou?

— Isso não posso dizer. Deve ter cochilado.

Poirot concordou. Automaticamente, pegou os papéis sobre a mesa. Observou o cartão de visitas mais uma vez.

— Não há ninguém aqui que possa confirmar sua história e sua identidade, não é?

— Neste trem? Não, talvez o jovem MacQueen. Conheço-o bem. Vi-o no escritório do pai, em Nova York. Mas não posso garantir que ele tenha me notado entre tantos funcionários. Não, M. Poirot, o senhor terá de esperar e telegrafar para Nova York quando a nevasca acabar. Mas tudo é verdade. Bem, até logo, senhores. Prazer em tê-lo conhecido, M. Poirot.

Poirot ofereceu-lhe a cigarreira.

— Talvez prefira um cachimbo?

— Não eu.

Hardman retirou um cigarro, acendeu-o e saiu. Os três homens se entreolharam.

— Acha que é verdadeiro? — perguntou o dr. Constantine.

— Sim, sim, conheço o tipo. Além disso, é uma história que, se fosse falsa, poderia facilmente ser jogada por terra.

— Ele nos deu uma excelente pista — comentou Bouc.

— Sim, concordo.

— Um homem baixo, moreno, com voz fina — acrescentou Bouc.

— Uma descrição que não se enquadra com a de ninguém neste trem — disse Poirot.

10
O depoimento do italiano

— E agora — disse Poirot piscando um olho —, vamos deleitar o coração de M. Bouc, ouvindo o italiano.

Antonio Foscarelli chegou ruidosamente ao carro-restaurante. Seu rosto brilhava. Era um típico italiano. Seu francês era fluente, apenas tinha um leve sotaque.

— Seu nome é Antonio Foscarelli?

— Sim, Monsieur.

— O senhor, já vi, é cidadão naturalizado americano?

— Sim, senhor, é melhor para os meus negócios.

— É representante da Ford?

— Sim, o senhor sabe...

Seguiu-se uma prolongada explicação. Ao final, sabiam de tudo sobre o negócio de Foscarelli, seus métodos, viagens, lucros e sua opinião sobre os Estados Unidos e a maioria dos países europeus. Era o tipo do homem do qual não se precisa arrancar informações. Ia logo dando todas. Seu rosto infantil brilhava quando, em um gesto mais eloquente, enxugou a testa com um lenço.

— Como veem — disse — estou nos grandes negócios. Estou atualizado. Entendo de vendas.

— O senhor está nos Estados Unidos há dez anos?

— Sim, Monsieur. Ah! Como me lembro do dia em que tomei o navio rumo à América, tão longe! Minha mãe, minha irmãzinha...

Poirot interrompeu a reminiscência.

— Durante sua vida nos Estados Unidos alguma vez encontrou-se com o morto?

— Nunca. Mas conheço o tipo. Muito respeitável, muito bem-vestido, mas por trás disso tudo errado. Pela minha experiência, posso dizer que ele era um vigarista.

— Sua opinião é bem correta — esclareceu Poirot secamente. — Ratchett era Cassetti, o sequestrador.

— Eu não lhes disse? Aprendi a ver as coisas. Só na América é que ensinam como e a quem vender.

— Lembra-se do caso Armstrong?

— Não me lembro bem. Se não me engano, era uma menina, quase bebê, não era?

— Sim, uma tragédia.

— Bem, essas coisas acontecem — disse o italiano, filosoficamente —, principalmente numa grande civilização como a América.

— Esteve alguma vez — Poirot o interrompeu — com alguém da família Armstrong?

— Não, creio que não. Difícil de dizer. Vou dar-lhe alguns números. No ano passado eu vendi...

— Monsieur, rogo-lhe que se atenha ao assunto.

— Mil perdões — disse o italiano gesticulando.

— Diga-me, por favor, todos os seus movimentos após o jantar.

— Com prazer. Fiquei no carro o tempo que podia. Mais agradável, conversei com o americano à mesa. Ele vende fitas para máquina. Voltei à cabina. Não havia ninguém. O John Bull miserável que a divide comigo estava atendendo o patrão. Voltou, afinal. Arrogante, como sempre. Raça miserável, a dos ingleses. Antipáticos. Sentou-se num canto, lendo um livro. Então o condutor chegou e preparou-nos as camas.

— Números 4 e 5 — murmurou Poirot.

— Exatamente, a última do vagão. Meu leito é o superior. Subi. Fumei e li. O inglês tinha, creio eu, uma dor de dentes. Pegou uma garrafa de qualquer coisa de cheiro forte. Deitou-se e ficou gemendo. Em seguida, dormi. Quando acordei, ele gemia.

— Sabe se ele deixou a cabina alguma vez durante a noite?

— Creio que não. Isto é, não que eu ouvisse. Basta abrir a porta que a luz do corredor acorda a gente, pois parece que é a Alfândega chegando.

— Ele alguma vez falou-lhe do seu patrão? Demonstrou ter raiva dele?

— Eu já lhe disse, ele não fala nada. É muito antipático.

— O senhor disse que fuma. Cachimbo, cigarros, charutos?

— Apenas cigarros.

Poirot ofereceu-lhe um.

— Já esteve em Chicago? — perguntou Bouc.

— Oh, sim, uma boa cidade. Mas conheço mais Nova York, Washington, Detroit. Já esteve nos Estados Unidos? Não? Devia ir...

Poirot colocou uma folha de papel à sua frente.

— O senhor pode assinar isto, e colocar seu endereço permanente, por favor?

O italiano desenhou o nome. Levantou-se, sorrindo mais do que nunca.

— É tudo? Os senhores não vão me chamar de novo? Bom dia, então, Messieurs. Faço votos para que possamos vencer a neve. Tenho um encontro em Milão — balançou a cabeça com tristeza —, vou perder um negócio.

Partiu.

— Está há um bocado de tempo na América — comentou Bouc — e é italiano, e os italianos usam a faca. E são grandes mentirosos. Não gosto de italianos.

— *Ça se voit* — respondeu Poirot, com um sorriso —, mas embora você possa estar certo, *mon cher*, não há absolutamente nada contra esse homem.

— E a sua psicologia? Os italianos não costumam apunhalar?

— Certamente — concordou Poirot —, e mais ainda quando há uma desavença. Mas este é um crime diferente. Tenho o palpite, meu caro amigo, que este crime foi cuidadosamente planejado. É um crime longamente premeditado, até mesmo ensaiado. Não se trata, como direi, de um crime latino. O crime indica um cérebro frio, deliberado, eu diria anglo-saxônico.

Poirot pegou os dois últimos passaportes.

— Vamos ouvir Miss Debenham.

11
O depoimento de Miss Debenham

Ao entrar no carro-restaurante, Miss Debenham confirmou a ideia que inicialmente Poirot fizera a seu respeito: vestindo cuidadosamente um costume negro e blusa cinza, as suaves ondulações dos cabelos acentuavam-lhe a presença agradável. Seu porte era calmo. Sentou-se à frente de Poirot e Bouc, olhando-os com curiosidade.

— Seu nome é Mary Hermione Debenham, e tem 26 anos de idade? — começou Poirot.

— Sim.

— Britânica?

— Sim.

— Poderia fazer-nos a gentileza, Mademoiselle, de escrever aqui seu endereço permanente?

Concordou. Sua caligrafia era firme e legível.

— E agora, Mademoiselle, poderia dizer-nos o que sabe sobre a noite passada?

— Receio nada ter para contar-lhes. Fui para a cama e dormi.

— A senhorita não fica aborrecida por ter havido um crime neste trem?

A pergunta foi-lhe inesperada. Seus olhos acinzentados se tornaram um pouco mais penetrantes.

— Não compreendo bem.

— Foi uma simples pergunta esta, senhorita. Mas vou repeti-la. A senhorita não está aborrecida pelo fato de um crime ter ocorrido neste trem?

— Ainda não pensei sob este ponto de vista. Não, não creio que me aborreça.

— Um crime... tudo pode ocorrer um dia para a senhorita, não?

— Naturalmente, isto é desagradável...

— A senhorita é muito anglo-saxônica. *Vous n'éprouvez pas d'emotion.*

— Receio — sorriu levemente — não poder ter um ataque de histeria para provar-lhe a minha sensibilidade. Afinal, todo dia morre alguém.

— Morre, sim. Mas assassinato é um pouco mais raro...

— Certamente.

— A senhorita não conhecia o morto?

— Eu o vi pela primeira vez ontem, durante o almoço.

— E que impressão teve sobre ele?

— Quase não o notei.

— Não lhe deu a impressão de ter uma personalidade ruim?

— Realmente — concordou ela, dando de ombros. — Não sei dizer o que pensei a respeito.

— Acho — disse Poirot, olhando-a profundamente — que a senhorita está sendo um tanto relutante ao responder às minhas perguntas. Creio que, na sua opinião, o interrogatório deveria ser feito à moda inglesa. Lá tudo seria muito direto e objetivo, restrito aos fatos, uma coisa muito organizada. Mas eu, Mademoiselle, tenho o meu modo de agir. Primeiro observo a testemunha, imagino o seu caráter; depois coloco as perguntas. Há um minuto eu estava fazendo perguntas a um cavalheiro que se mostrava desejoso de falar-me sobre qualquer assunto. Tive de esforçar-me para mantê-lo apenas no que interessava, dizendo sim ou não. Em seguida, veio a senhorita. Verifiquei logo que desejava ser organizada e metódica. A senhorita pretende manter-se dentro do assunto em pauta. Suas respostas serão prontas e diretas. E, como a natureza humana é perversa, faço-lhe perguntas inteiramente diversas. Pergunto o que *sente*, o que *pensa*. Não lhe agrada este método?

— Se me perdoar, parece-me desperdício de tempo. Não creio que saber se eu gostava ou não de Mr. Ratchett, ou da cara dele, poderá servir de alguma coisa para descobrir quem o matou.

— Sabe, senhorita, quem era Ratchett, na verdade?

— Mrs. Hubbard já disse a todo mundo.

— E o que pensa do caso Armstrong?

— Abominável.

— Creio que a senhorita está viajando desde Bagdá — observou Poirot, pensativo.

— Sim.

— Para Londres?

— Sim.

— O que esteve fazendo em Bagdá?

— Servi de governanta a duas crianças.

— Voltará ao emprego ao final das férias?

— Não sei ainda.

— Por quê?

— Há certas coisas que faltam a Bagdá. Eu preferiria um emprego em Londres, se encontrasse um adequado.

— Compreendo. Mas pensei que estivesse viajando para casar-se.

Miss Debenham não respondeu. Limitou-se a levantar os olhos e observar duramente Poirot. Seu olhar parecia chamá-lo de impertinente.

— Qual a sua opinião sobre a senhora que viaja na sua cabina, Mrs. Ohlsson?

— Parece-me uma criatura simples e agradável.

— De que cor é o robe dela?

— Um tom de marrom — Miss Debenham pareceu aborrecida —, lã natural...

— Ah! Posso mencionar, sem indiscrições, espero, ter notado a cor do seu robe no trecho entre Aleppo e Istambul? Um *mauve* pálido, se não me engano.

— Sim, está certo.

Poirot inclinou-se para a frente, parecendo um gato à caça do rato.

— Tem qualquer outro robe, Mademoiselle? Um vermelho?

— Não, esse não é meu.

— De quem é, então?

— Não sei. O que quer dizer?

— A senhorita não disse que não tinha um robe daquela cor... falou *esse não é meu*, como se quisesse atribuí-lo a outra pessoa.

Miss Debenham balançou a cabeça.

— A alguém neste trem?

— Sim.

— De quem é o robe?

— Já lhe disse, não sei. Acordei esta manhã às cinco, com o pressentimento de que o trem estivera parado por longo tempo. Abri a porta e olhei o corredor, pensando que deveríamos estar em alguma estação. Foi quando vi alguém com um robe vermelho.

— E sabe quem era? Loura, morena, ou de cabelos prateados?

— Não sei dizer. Ela usava uma touca, e só pude ver a parte de trás de sua cabeça.

— E quanto ao corpo?

— Alta e magra, eu diria, mas é difícil asseverar. O robe tinha uns dragões bordados.

— Sim, sim, dragões.

Poirot permaneceu um momento calado, pensando consigo mesmo que nada daquilo fazia sentido.

— Não vou mais tomar-lhe o tempo, Mademoiselle.

— Oh! — exclamou ela, tomada de surpresa, mas levantou-se prontamente.

— A senhora sueca... Miss Ohlsson — disse ela da porta — parece muito nervosa. Contou-me que o senhor lhe disse que ela tinha sido a última pessoa a ver Ratchett vivo. Acho que pensa que o senhor suspeita dela. Posso dizer-lhe que está enganada? Na verdade, o senhor sabe, ela seria incapaz de fazer mal a uma mosca.

— A que horas ela foi apanhar a aspirina com Mrs. Hubbard?

— Às 22h30.

— Quanto tempo ela ficou fora da cabina?

— Cerca de cinco minutos.

— Ela saiu de novo durante a noite?

— Não.

Poirot voltou-se para o médico.

— Poderia Ratchett ter sido morto a essa hora?

— Não.

— Então acho que pode tranquilizar a sua amiga, Miss Debenham.

— Obrigada — disse, sorrindo, para o detetive. — Ela, o senhor sabe, fica angustiada à toa.

Miss Debenham retirou-se.

12
O depoimento da dama de companhia alemã

— Muitas vezes me é difícil compreendê-lo, *mon vieux* — observou Bouc a Poirot, com curiosidade —, o que estava tentando fazer?

— Eu procurava uma rachadura, meu caro...

— Uma rachadura?

— Sim, na couraça daquela jovem. Quis agitar seu *sang froid*. Consegui? Não sei. Mas sei o seguinte: ela não esperava que eu abordasse o assunto da maneira como fiz.

—Você suspeita dela — observou Bouc vagarosamente —, mas por quê? Ela parece uma jovem muito atraente. A última pessoa no mundo que poderia envolver-se num crime como este.

— Concordo — observou Constantine —, ela é fria, parece não ter emoções. Não apunhalaria um homem. Ela o levaria ao tribunal.

—Vocês dois — retrucou Poirot — precisam deixar de lado esta obsessão de que este foi um crime não premeditado. Quanto às minhas suspeitas sobre Miss Debenham, tenho duas razões: a primeira relaciona-se com qualquer coisa que ouvi e que vocês desconhecem.

Poirot relatou-lhes então a conversa que ouvira entre a jovem e o coronel inglês na viagem de Aleppo.

— Claro que isso é curioso — comentou Bouc — e precisa ser esclarecido. E se for o que parece, os dois estão envolvidos: ela e aquele britânico pedante.

— E isso é exatamente o que os fatos não demonstram — observou Poirot. —Vejam, se os dois estiverem juntos nisso, é natural que um sirva de álibi ao outro. Mas não é assim. O álibi de Miss Debenham é a dama sueca, que ela jamais conheceu antes, e o do coronel Arbuthnot é MacQueen, o secretário do morto. Não, não é fácil como parece.

—Você disse — lembrou Bouc — ter duas razões para suspeitar dela.

— Ah! — exclamou Poirot com um sorriso —, mas tudo é psicológico. Pergunto a mim mesmo se é possível que Miss Debenham tenha planejado o crime, mas estou convencido de que, por trás de tudo isso, há um cérebro frio, inteligente. Miss Debenham corresponde à descrição.

— Creio que está enganado — observou Bouc —; não consigo imaginar esta inglesinha como uma criminosa.

— Bom — retrucou Poirot, pegando o último passaporte —, vamos ao último nome da nossa lista, Hildegarde Schmidt, a dama de companhia.

Chamada pelo empregado da ferrovia, Hildegarde Schmidt apresentou-se no carro-restaurante. O detetive fez-lhe um sinal para que se pusesse à vontade. Ela sentou-se, juntando placidamente as mãos, esperando ser interrogada. Parecia calma, responsável, embora não muito inteligente.

O método usado por Poirot com Hildegarde Schmidt foi exatamente o oposto ao que utilizara com Miss Debenham. O detetive mostrou-se bondoso, colocando a mulher à vontade. Em seguida, após ter feito com que ela escrevesse seu nome e endereço, iniciou as perguntas em alemão.

— Queremos ouvir o máximo possível sobre a noite passada. Sabemos que não dispõe de muitas informações sobre o crime, em si, mas a senhora pode ter visto ou ouvido alguma coisa de algum valor para nós. Compreende?

A mulher pareceu não entender bem. Sua expressão permaneceu de ignorância.

— Não sei nada, Monsieur.

— Bem, por exemplo, sabe que sua patroa mandou-a chamar, na noite passada?

— Ah, isso sim.

— Lembra-se da hora?

— Não, Monsieur. Eu estava dormindo, o senhor sabe, quando o camareiro veio me chamar.

— Sim, sim. Era comum a senhora ser chamada dessa maneira?

— Não era raro. Madame la Princesse sempre exige certa atenção à noite. Às vezes não dorme bem.

— *Eh bien*, então a senhora foi chamada, e levantou-se. Vestiu um robe?

— Não, senhor. Eu não iria de robe à frente da patroa.

— Ainda assim é um bonito robe... vermelho, não?

— É um robe azul-marinho, de flanela, senhor.

— Ah, continue. Foi apenas uma brincadeira de adivinhar. Assim, a senhora atendeu à princesa. E que fez ao chegar lá?

— Fiz-lhe uma massagem, Monsieur, e li para ela em voz alta. Não leio bem, mas Sua Alteza diz que é bom, pois assim consegue dormir. E quando ela começou a cochilar, disse-me para sair. Parei a leitura e voltei à minha cabina. — Que horas eram?

— Não sei, Monsieur.

— Bem, quanto tempo ficou com Madame la Princesse?

— Cerca de meia hora, Monsieur.

— Bom, continue.

— Primeiro, coloquei sobre Sua Alteza uma coberta que levara da minha cabina. Apesar do aquecimento estar ligado, fazia muito frio. Arrumei cuidadosamente a coberta e ela me desejou uma boa noite. Servi-lhe água mineral, apaguei a luz e deixei a cabina.

E então?

— Nada mais, Monsieur. Voltei à minha cabina e adormeci.

— Encontrou alguém no corredor?

— Não, Monsieur.

— A senhora não viu, por exemplo, uma mulher de robe vermelho com dragões bordados?

— Infelizmente não, senhor. Não havia ninguém, a não ser o condutor. Todos dormiam.

— A senhora viu o condutor?

— Sim, Monsieur.

— O que ele fazia?

— Vinha saindo de uma das cabinas.

— O quê? — perguntou Bouc, inclinando-se para a frente. — Qual delas?

Hildegarde Schmidt pareceu atemorizada. Poirot lançou um olhar de repreensão ao amigo.

— Naturalmente — observou o detetive — o condutor tem de atender os chamados durante a noite. Lembra-se de qual cabina era?

— Mais ou menos no meio do vagão, Monsieur. A duas ou três portas da cabina da princesa.

— Conte-nos, por favor, onde era e o que aconteceu.

— Ele quase esbarrou em mim, Monsieur. Foi quando eu levava a coberta da minha cabina para a da princesa.

— E ele saiu de uma das cabinas e quase esbarrou na senhora? Em que direção ia?

— Na minha direção, Monsieur. Pediu-me desculpas e prosseguiu em direção ao carro-restaurante. Uma campainha começou a soar, mas não me lembro se ele atendeu. Não compreendo... como é que...?

Poirot retomou a palavra, esclarecendo:

— Tudo uma questão de tempo — observou —, tudo questão de rotina. Esse pobre homem parece ter tido uma noite difícil... primeiro tendo de acordá-la, depois de atender a tantos chamados...

— Mas não se trata do mesmo condutor que me acordou, Monsieur. Era outro.

— Ah, outro! Já o vira antes?

— Não, Monsieur.

— Ah! Acha que o reconheceria, se o visse novamente?

— Creio que sim, Monsieur.

Poirot cochichou qualquer coisa a Bouc, que se levantou e caminhou até a porta, dando uma ordem.

— Já esteve alguma vez nos Estados Unidos, Frau Schmidt? — perguntou o detetive.

— Nunca, Monsieur. Deve ser um país bonito.

— Provavelmente já soube que, na verdade, o homem que foi assassinado era responsável pela morte de uma criança.

— Sim, Monsieur. Detestável, terrível. O bom Deus não deveria permitir que tais coisas acontecessem. Na Alemanha não ocorrem coisas assim...

As lágrimas começaram a rolar pelo rosto de Frau Schmidt. Seus sentimentos maternais haviam sido despertados.

— Foi um crime abominável — observou o detetive com gravidade.

Poirot retirou do bolso um lenço de cambraia e estendeu-o à alemã.

— Este lenço lhe pertence, Frau Schmidt?

Permanecendo por um momento em silêncio, a alemã examinou-o detidamente. Sua face aos poucos retomou a cor.

— Ah, não, Monsieur. Este lenço não é meu.

— Como vê, ele tem a inicial H. Por isso pensei que fosse seu.

— Ah, Monsieur, este lenço só pode ser de uma *lady*. É muito caro, bordado a mão. Deve ter sido comprado em Paris.

— Não é seu... Sabe a quem poderia pertencer?

— Eu? Não, Monsieur.

Dos três homens, somente Poirot percebeu um tom de hesitação na resposta que lhe era dada. Bouc cochichou-lhe qualquer coisa. O detetive voltou-se para a mulher.

— Os três condutores estão vindo para cá. A senhora poderia fazer o favor de mostrar qual deles lhe esbarrou quando levava a coberta para a princesa?

Os homens entraram: Pierre Michel, o condutor louro do carro Atenas-Paris e o empregado alto do carro de Bucareste. Hildegarde Schmidt olhou-os, e balançou a cabeça.

— Não, Monsieur — disse ela —, nenhum destes homens foi o que vi na noite passada.

— Mas estes são os únicos condutores do trem! A senhora deve estar enganada.

— Estou bem certa, Monsieur. Todos são altos, grandes. O homem que vi era baixo e moreno. Tinha um pequeno bigode. Sua voz, ao pedir desculpas, pareceu de mulher. Lembro-me bem dele, Monsieur.

13
Resumo dos depoimentos dos passageiros

— Um homem pequeno, moreno, com voz de mulher — lembrou Bouc, intrigado.

Os três camareiros haviam sido dispensados, e o diretor da Companhia fez um gesto de desespero.

— Já não consigo entender mais nada! Será que o inimigo mencionado por Ratchett estava mesmo neste trem? Mas onde está ele agora? Como pode ter sumido? Isto me enlouquece. Diga-me alguma coisa, imploro-lhe, meu amigo. Mostre-me como o impossível pode ser possível!

— Uma boa frase, esta — observou Poirot —; o impossível não pode ter acontecido. Consequentemente, o impossível é possível, a despeito das aparências.

— Então, explique-me, rapidamente, o que na verdade aconteceu no trem na noite passada.

— Eu não sou um mágico, *mon cher*... Sou, como você, um homem muito intrigado. Este caso caminha de modo muito estranho.

— Caminha nada! Parou onde estava!

— Também não é assim — Poirot abanou a cabeça —, pois nós já progredimos um bocado. Sabemos certas coisas; ouvimos os depoimentos dos passageiros...

— E a que isto nos levou? A nada, no fim de tudo.

— Eu não diria assim, meu caro.

— É possível que eu esteja exagerando. O americano, Hardman, e a alemã, sim, eles contribuíram com alguma coisa. Quer dizer, eles tornaram tudo mais complicado ainda...

— Não, não — disse Poirot com convicção.

— Fale, então — implorou ao detetive —, diga-nos o que pensa, Hercule Poirot.

— Eu não lhes disse que também estava intrigado? Mas, pelo menos, podemos equacionar todo o problema. Podemos arrumar os fatos com ordem e método.

— Rogo que prossiga, Monsieur — apelou Constantine.

Poirot pigarreou, pegando uma folha de papel.

— Vamos rever o caso até o ponto ao qual chegamos. Primeiro, há alguns fatos irrefutáveis. Este homem, Ratchett, ou Cassetti, foi esfaqueado em 12 lugares e morreu ontem à noite. Este é o fato número um.

— Parabéns, parabéns... — observou Bouc com uma ponta de ironia. Hercule Poirot não deu importância à observação. Continuou calmamente:

— Passarei, por ora, sobre algumas peculiaridades que já discuti com o dr. Constantine. Iremos a elas em seguida. O segundo fato em importância, para mim, é a *hora* do crime.

— Novamente, esta é outra coisa que nós sabemos — completou Bouc —; o crime foi cometido à 1h15. Tudo evidencia ter sido esta a hora.

— Nem tudo. Você exagera. Há, certamente, muita coisa que nos leva a acreditar nisso.

— Alegro-me que pelo menos pense assim.

— Temos então — prosseguiu Poirot, imperturbável — três possibilidades diante de nós: 1) que o crime foi praticado, como dizem, à 1h15. Isto é indicado pelo depoimento da alemã Hildegarde Schmidt, e se encaixa no cálculo do dr. Constantine; 2) o crime foi cometido mais tarde, e a pista do relógio foi deliberadamente falseada; 3) o crime foi antes daquela hora, e a pista do relógio, igualmente, falseada. Agora, se tomarmos a possibilidade número um como sendo a mais provável, temos de aceitar certos fatos decorrentes disso. Para começar, se o crime foi praticado à 1h15, o assassino não pode ter deixado o trem, o que permite perguntar onde ele está, e quem é ele. Examinemos detalhadamente este ponto. Primeiro, tomamos conhecimento do homem baixo, moreno e de voz afeminada através de Hardman. Ele disse que Ratchett lhe falara dessa pessoa e o contratara para que o vigiasse. Mas não há *prova* disso... a não ser a palavra de Hardman. Examinemos, em seguida, a questão: será que Hardman é mesmo da New York Detective Agency? O que me parece mais interessante é que, neste caso, não temos nenhum dos recursos de que dispõe a polícia. Não podemos investigar o passado de nenhuma dessas pessoas. Temos de confiar apenas em nossas deduções, o que torna tudo ainda mais interessante. Não há trabalho de rotina. Tudo depende do intelecto. Então me pergunto: podemos aceitar o que Hardman diz de si mesmo? Decido que sim.

— Você acredita em intuição — inquiriu o dr. Constantine —, aquilo que os americanos costumam chamar de *hunch*?

— Não, não. Examino possibilidades. Hardman viaja com um passaporte falso, o que por si só já o torna suspeito. A primeira coisa que a polícia fará, quando chegar, será detê-lo e telegrafar para saber se diz a verdade. Quanto à maioria dos passageiros, estabelecer vidas pregressas será difícil. Em muitos casos nem será tentado, especialmente porque nada há de suspeito com relação a eles. Mas, no caso de Hardman, é simples. Ou ele é a pessoa que diz ser, ou não é. Assim, acho que tudo está em ordem.

— Suspeita dele?

— Não. Você me entendeu mal. Pelo que sei, todo detetive americano deve ter suas próprias razões para querer pôr as mãos sobre Ratchett. Não, estou apenas tentando dizer que *podemos* aceitar a história de Hardman, no que tem de pessoal. Quanto ao resto, ou seja, ao fato de ter sido contratado por Ratchett, é provável, mas não certo, que corresponda à verdade. No entanto, para dá-la como verdadeira, será preciso achar alguma coisa que a confirme. E isso vamos encontrar no depoimento de Hildegarde Schmidt. Sua descrição do homem que usava o uniforme da Wagon Lit se encaixa exatamente. Há alguma outra confirmação dessas duas histórias? Sim. O botão encontrado na cabina de Mrs. Hubbard. E há também outra pista que passou despercebida a vocês.

— Qual é?

— O fato de que tanto o coronel Arbuthnot como Hector MacQueen disseram que o condutor passou pelas suas cabinas. Eles não se importaram com isso, mas,

Messieurs, Pierre Michel declarou que não saiu do seu lugar, exceto em ocasiões específicas, nenhuma das quais o levou além da cabina em que Arbuthnot e MacQueen conversavam. Assim, a história do homem baixo, moreno e de voz afeminada é confirmada em quatro depoimentos, direta ou indiretamente.

— Apenas uma observação — interveio o dr. Constantine —, se a história de Hildegarde Schmidt é verdadeira, como o condutor legítimo não mencionou tê-la visto quando foi atender ao chamado de Mrs. Hubbard?

— Acho que isso se explica. Quando ele chegou à cabina de Mrs. Hubbard, a dama de companhia estava com sua patroa. Quando finalmente ela voltou, o condutor estava dentro da cabina de Mrs. Hubbard.

Bouc esperou que terminassem.

— Sim, sim, meu caro — concordou com impaciência —, mas, embora eu admire o seu cuidado, seu método de progredir um pouco de cada vez, observo que ainda não chegou ao ponto principal. Todos concordamos que esta pessoa existe. O ponto é: para onde ela foi?

— Você se engana — observou Poirot, balançando a cabeça, com um gesto de censura — e parece querer colocar o carro adiante dos bois. Antes de perguntar como este homem desapareceu, prefiro perguntar se ele realmente existe. Porque, você sabe, se o homem for uma invenção... uma coisa fabricada... mais fácil seria ele desaparecer. Assim, prefiro primeiro estabelecer se existe em carne e osso.

— E, caso positivo, onde está ele agora?

— Há somente duas respostas, *mon cher*. Ou ele continua escondido no trem, num lugar que nem ao menos imaginamos, ou ele pode ser duas pessoas. Ou seja, tanto é o homem que Ratchett temia quanto um passageiro tão bem-disfarçado que o próprio Ratchett não o reconheceu.

— Uma boa ideia, essa — observou Bouc —, mas há um problema...

— A altura do homem. — Poirot tirou-lhe as palavras da boca. — É o que quer dizer? À exceção do valete de

Ratchett, todos são altos: o italiano, o coronel Arbuthnot, Hector MacQueen, o conde Andrenyi. Então ficamos com o valete. Mas há outra suposição: lembrem-se da voz fina, afeminada. Isso nos dá duas alternativas: o homem pode ter-se feito mulher, ou uma mulher se disfarçou de homem. Uma mulher alta, num uniforme masculino, pareceria pequena.

— Mas certamente Ratchett teria sabido...

— Talvez ele o soubesse. Talvez, também, uma mulher o tenha atacado com roupas de homem para melhor atingir seu objetivo. Ratchett pode ter imaginado que o criminoso usaria o mesmo truque novamente, e dito a Hardman para procurar um homem. No entanto, ele mencionou uma voz afeminada.

— É uma possibilidade — concordou Bouc —, mas...

— Espere, amigo. Creio que agora devo contar-lhe algumas das inconsistências notadas pelo dr. Constantine.

Poirot relatou detalhadamente as conclusões a que havia chegado com o médico sobre os ferimentos encontrados no morto. Bouc resmungou e coçou a cabeça novamente.

— Sei — disse Poirot entusiasmado — exatamente como se sente. Tudo o confunde, não?

— A coisa toda é fantástica!

— Exatamente. É um absurdo. Improvável. Não pode ser. Isto mesmo eu já disse. No entanto, meu caro, aí está. Não se pode fugir dos fatos.

— Isto é uma loucura!

— E não é? É tudo tão louco, que às vezes tenho a sensação de que tudo é muito simples... Mas é apenas uma das minhas pequenas ideias...

— Dois assassinos — resmungou Bouc — e aqui, no Expresso do Oriente...

— E agora tornemos a fantasia ainda mais fantástica — acrescentou Poirot. — Ontem à noite, no trem, havia dois estranhos: um, o condutor visto por Hildegarde Schmidt, coronel Arbuthnot e MacQueen, e que se encaixa na descrição de Mr. Hardman. E há também a mulher do robe vermelho... alta e magra, vista por Pierre Michel, Miss Debenham, MacQueen e por mim, e farejada, digamos assim, pelo coronel Arbuthnot. Ela também desapareceu. Será ela a mesma pessoa que o camareiro? Ou pessoa diversa? Onde estão os dois? E, por falar nisso, onde estão o uniforme da Wagon Lit e o robe vermelho?

— Ah, eis algo concreto. Vamos — convocou Bouc — revistar a bagagem de todos os passageiros. Isto sim, servirá de alguma coisa.

— Farei uma previsão — disse Poirot, levantando-se.

— Sabe onde estão?

— Faço uma ideia...

— Onde, então?

— Você encontrará o robe vermelho na bagagem de um dos homens, e o uniforme do condutor na mala de Hildegarde Schmidt.

— Hildegarde Schmidt? Você acha...

— Não o que você está pensando. Prefiro colocar a coisa assim: se Hildegarde Schmidt for culpada, o uniforme pode ser encontrado na sua bagagem. Mas, se for inocente, *certamente* estará lá.

— Mas como... Que barulho é este? Parece uma locomotiva em movimento...

O barulho aumentou. Percebiam-se os gritos de mulher nervosa. A porta do fundo abriu-se, e apareceu Mrs. Hubbard.

— Que coisa horrível — bramiu —, horrível! Dentro da minha sacola. Na minha sacola. Uma grande faca, toda cheia de sangue!

Correndo para o grupo, ela desmaiou nos braços de Bouc.

14
A pista da faca

Com mais vigor do que cavalheirismo, Bouc colocou a senhora desmaiada com a cabeça sobre a mesa. Constantine gritou por um dos atendentes do carro-restaurante, que chegou correndo.

— Mantenha assim a cabeça dela — recomendou o médico — e quando ela voltar a si, dê-lhe um conhaque. Compreendeu?

Em seguida o dr. Constantine foi juntar-se aos outros dois. Tudo que lhe interessava era o crime. Pouco lhe importavam as senhoras de meia-idade. O método possivelmente fez com que Mrs. Hubbard voltasse a si muito antes do que se poderia esperar. Minutos depois, lá estava ela refeita, tomando o conhaque num copo que o garçom segurava, e falou mais uma vez:

— Não sabem como foi horrível. Não creio que ninguém neste trem possa compreender como me sinto. Eu sempre, sempre, fui muito sensível, desde criança. Não podia ver sangue... e agora me acontece isto!

O garçom estendeu-lhe o copo mais uma vez.

— *Encore un peu*, Madame.

— Você acha que eu deveria? Nunca bebi em minha vida. Nenhum tipo de bebida, nem mesmo vinho. Minha família é toda de abstêmios. Mas se é a conselho médico...

Bebeu mais um gole. Nesse meio-tempo, Poirot e Bouc, seguidos de perto pelo dr. Constantine, tinham cruzado o corredor do carro de Istambul até a cabina de Mrs. Hubbard. Todos os viajantes pareciam ter saído da cabina. O condutor, com uma expressão lamentável, pedia-lhes que voltassem aos seus lugares.

— *Mais il n'y a rien a voir* — dizia, repetindo aquilo em vários outros idiomas.

— Deixem-me passar, por favor — dizia Bouc.

Espremendo-se entre os passageiros, entrou na cabina, Poirot logo atrás dele.

— Estou contente por sua presença aqui — observou o condutor aliviado. — Todos estão querendo entrar. A senhora americana... gritou tanto... *ma foi*! Pensei que ela também tivesse sido assassinada! Vim correndo, ao ouvi-la gritar como louca. Ela dizia que precisava vê-lo e saiu correndo, contando a todo mundo o que havia acontecido. *Aquilo* está lá, Monsieur. Não toquei nela.

Uma sacola estava dependurada na maçaneta, e, no chão, como caíra da mão de Mrs. Hubbard, uma adaga barata, quase um punhal, do tipo oriental. A lâmina apresentava várias manchas cor de ferrugem. Poirot apanhou-a delicadamente.

— Sim — murmurou o detetive —, não há dúvida. Eis a arma que faltava, hein doutor?

O médico examinou a faca.

— Não é preciso ser tão cuidadoso — observou-lhe o detetive —, não há impressões digitais, exceto as de Mrs. Hubbard.

O exame do dr. Constantine não demorou muito.

— É mesmo a arma do crime — confirmou —; corresponderá a todos os ferimentos.

— Rogo-lhe que não diga isso...

O médico ficou atônito, mas Poirot explicou:

— Já estamos cheios de coincidências. Duas pessoas decidem apunhalar Mr. Ratchett na noite de ontem. É bom demais que cada uma delas tenha usado a mesma arma.

— No que diz respeito a isso — retrucou o médico —, talvez a coincidência não seja tão grande quanto parece. Milhares destas facas são fabricadas e vendidas nos bazares de Constantinopla.

— Você me consola — observou Poirot —, mas não muito...

O detetive olhou pensativamente para a porta e, levantando a sacola, tentou virar a maçaneta. A porta não se abriu. O trinco ficava uns trinta centímetros acima. Poirot acionou-o para trás e tentou novamente. Mais uma vez a porta não se abriu.

— Nós a trancamos pelo outro lado — lembrou o médico.

— É verdade — comentou Poirot, parecendo pensar em outra coisa.

— Agora tudo se encaixa, não? — perguntou Bouc. — O assassino passa de uma cabina para outra. Quando fecha a porta de intercomunicação, percebe a sacola.Vem-lhe então a ideia de jogar a faca dentro dela. Então, sem perceber que acordara Mrs. Hubbard, ele passa para a sua cabina e, dela, para o corredor.

— Como diz — observou Poirot —, é assim que tudo deve ter acontecido.

Apesar do comentário, o detetive conservou uma expressão intrigada, o que fez Bouc perguntar-lhe:

— Mas que é isso? Há alguma coisa que ainda o preocupa?

— Não percebe um ponto intrigante? — perguntou o detetive. — Não, evidentemente não. Bem, é de pouca importância...

O condutor olhou para dentro da cabina.

— A senhora americana está de volta.

O dr. Constantine sentiu-se arrependido. Afinal, ele não tratara Mrs. Hubbard de modo muito cavalheiresco. Mas ela não o reprovou. Suas energias estavam concentradas para outra coisa.

—Vim apenas dizer-lhes uma coisa em alto e bom som: eu não ficarei mais nesta cabina. Não dormiria aqui mais uma noite nem por um milhão de dólares!

— Mas Madame...

— Sei o que está para dizer, e vou logo adiantando que não farei isto! Prefiro passar o tempo todo sentada no corredor!

Mrs. Hubbard começou a chorar.

— Oh! Se pelo menos minha filha pudesse saber... se pudesse me ver... por que...

Poirot interveio com firmeza:

— A senhora entendeu mal, Madame. Seu pedido é mais do que razoável! Sua bagagem será transferida para outra cabina.

— É verdade? — perguntou a velha senhora, levantando o lenço. — Sinto-me bem melhor assim. Mas sei que o trem está lotado, a não ser que um dos cavalheiros...

— Sua bagagem — explicou Bouc — será transferida deste vagão. A senhora irá para o carro seguinte, que foi engatado em Belgrado.

— Bem, esplêndido! Não sou do tipo de mulher nervosa, mas dormir na cabina vizinha à de um morto... Eu enlouqueceria!

— Michel — chamou Bouc —, mude esta bagagem para uma cabina disponível no carro Atenas-Paris.

— Sim, Monsieur... a mesma que esta, número 3?

— Não — interveio Poirot, antes que o amigo pudesse responder —, creio que será melhor se Madame tiver um número diferente também. A número 12, por exemplo.

— *Bien*, Monsieur.

O condutor pegou a bagagem, e Mrs. Hubbard voltou-se, agradecida, para Poirot.

— Isto é muita, muita gentileza de sua parte. Asseguro-lhe que lhe sou grata.

— Nada a agradecer, Madame. Iremos juntos para ver se a senhora ficará instalada confortavelmente.

Os três homens acompanharam Mrs. Hubbard até a sua nova cabina. Lá chegando, ela olhou tudo com felicidade.

— Isto é ótimo!

— É do seu agrado, Madame? Como pode ver, é exatamente igual à outra cabina.

— A única diferença é que ela dá para o outro lado. Mas isto não tem importância, pois estes trens correm tanto de um lado como do outro. Disse para minha filha que queria uma cabina de frente para a máquina. Ela perguntou por que, já que a gente dorme num sentido e, no outro dia, quando acorda, o trem já vai no outro. E ela tinha razão. Na noite passada, em Belgrado...

— De qualquer forma, Madame está contente agora?

— Bem, não, não diria assim. Isto porque estamos aqui parados numa nevasca e ninguém faz nada a respeito, e agora o meu navio parte depois de amanhã...

— Madame — desculpou-se Bouc —, estamos todos no mesmo caso... Cada um de nós...

— Bem, é verdade — admitiu Mrs. Hubbard —, mas ninguém mais teve um assassino em sua cabina, em plena noite...

— O que ainda me intriga, Madame — disse Poirot —, é como o homem pôde entrar na sua cabina, se a porta de intercomunicação estava trancada, como diz. Está certa de que estava trancada?

— Claro, a sueca verificou, bem na minha frente.

— Vamos reconstituir aquela cena. A senhora estava no leito, assim, e não podia verificar por si mesma?

— Não, por causa da sacola. Oh, preciso comprar outra. Esta agora me enjoa, cada vez que a vejo.

Poirot pegou a sacola e pendurou-a na maçaneta da porta que dava para a outra cabina.

— *Précisément*... compreendo. O trinco fica bem abaixo da maçaneta... a sacola o esconde. A senhora não poderia vê-lo de onde estava.

— Mas é isto exatamente o que lhe falei o tempo todo!

— E a senhora sueca, Miss Ohlsson, ficou assim, entre a senhora e a porta. Ela mexeu na maçaneta e viu que estava trancada.

— Isso mesmo!

— Da mesma forma, Madame, ela pode ter cometido um erro. Veja — Poirot parecia ansioso para explicar — o que quero dizer: o trinco é apenas uma peça de metal. Virado para a direita, a porta fica trancada; para a esquerda, não. Possivelmente ela só experimentou a porta e, como estava fechada pelo outro lado, pode ter pensado que o trinco estava virado para aqui.

— Mas isso poderia ser uma tolice da parte dela.

— Madame, as pessoas mais amáveis nem sempre são as mais espertas.

— Concordo com o senhor, é claro.

— Por falar nisso, Madame, a senhora saiu de Smyrna de trem?

— Não, fui de navio para Istambul, e um amigo de minha filha, Mr. Johnson, um homem muito amável, gostaria que o conhecesse, recebeu-me e mostrou-me a cidade, que achei decepcionante... aquelas mesquitas, e as pantufas que a gente é obrigada a usar... mas onde eu estava?

— A senhora dizia que Mr. Johnson foi ao seu encontro.

— Isso mesmo, ele me encontrou a bordo de um navio francês. O meu genro me esperava no cais. Imagine o que ele vai dizer quando souber de tudo isto! Minha filha falou que esta era a maneira mais segura, mais fácil de viajar. Basta sentar na cabina, disse ela, que você chegará a Paris, e a American Express irá ao seu encontro... Ah, o que posso fazer para cancelar minha passagem no navio? Preciso informá-los sobre o que está acontecendo. Tudo isso é tão horrível...

Mrs. Hubbard parecia que iria chorar novamente. Hercule Poirot, que há muito tempo apenas fazia sondagens, pegou sua oportunidade.

— A senhora sofreu um choque, Madame. Vou dizer ao garçom que lhe traga mais chá e biscoitos.

— Não sei bem se quero chá. Isto é mais hábito dos ingleses.

— Então café, Madame. A senhora precisa de um estimulante.

— Aquele conhaque fez-me sentir engraçada. Acho que tomarei um café.

— Excelente. Estou certo de que lhe dará novas forças.

— Que jeito de falar!

— Mas primeiro, Madame, um pouco mais de rotina. Permita que eu reviste a sua bagagem?

— Para quê?

— Estamos iniciando uma revista na bagagem de todos os passageiros. Não quero lembrar a sua experiência tão desagradável com a sacola.

— Por Deus! Talvez seja melhor... eu não suportaria ter outra surpresa daquelas...

A revista foi rápida, já que Mrs. Hubbard levava um mínimo de bagagem: uma caixa de chapéus, uma valise surrada e outra mala barata. Seu conteúdo era tão simples que o exame não levou mais de uns três minutos, fora o tempo que Mrs. Hubbard levou para mostrar fotografias da filha e de duas crianças feinhas, filhos de sua filha.

15
Indícios nas bagagens

Depois de apresentar uma série de escusas insinceras a Mrs. Hubbard, e de dizer-lhe que iria providenciar o café, Poirot conseguiu sair da cabina acompanhado dos dois amigos.

— Mal começamos e já preenchemos um claro — observou Bouc —; e agora, quem será o próximo?

— Será mais simples acompanhar os carros. Isso quer dizer que iremos à cabina 16, do alegre Mr. Hardman.

O americano, que fumava um charuto, deu-lhes amavelmente as boas-vindas:

— Entrem logo, cavalheiros... quer dizer, se lhes for humanamente possível. É um pouco apertado aqui para tanta gente.

Bouc explicou-lhe a razão da visita. O detetive concordou, compreensivo:

— Está o.k. Para dizer a verdade, fiquei pensando por que demoraram tanto a fazê-lo. Aqui estão as minhas chaves, cavalheiros, e se quiserem revistar-me os bolsos, fiquem à vontade. Devo apanhar as malas para vocês?

— O condutor fará isso, Michel!

O conteúdo das duas malas de Hardman foi rapidamente revisto. A quantidade de bebida era fora do comum, o que provocou uma justificativa do americano.

— É raro, quando se arranja tudo com o condutor, ter a bagagem revistada nas fronteiras... Distribuí algumas notas turcas, e, desde então, não tenho tido problemas.

— E em Paris?

— Até chegar lá — justificou Hardman —, o que sobrar irá para uma garrafa com rótulo de xampu...

— Noto — comentou Bouc com um sorriso — que não é partidário da Lei Seca, Mr. Hardman...

— Bem, não posso dizer que ela me amedrontou alguma vez...

— Ah, os *speakeasies*, os bares clandestinos...

— Sua gíria é tão precisa, tão expressiva...

— Gostaria de ir à América — comentou Poirot.

— Aprenderia uns bons métodos por lá — observou Hardman. — A Europa precisa ser sacolejada... anda meio adormecida.

— Na verdade, a América é a terra do progresso — concordou Poirot. — Há muita coisa que admiro nos americanos. Talvez, apenas, eu seja um tanto antiquado, por não achar as americanas tão charmosas quanto as nossas mulheres. A francesa ou a belga... tão admiráveis. Não há quem possa chegar-lhes aos pés.

— Talvez tenha razão, M. Poirot — comentou Hardman, desviando o olhar para a neve —, mas creio que cada um gosta mais das mulheres do seu próprio país. E isto é curioso, não? Mas, digam-me, senhores, este caso está mexendo com o meu sistema nervoso. Assassinato, neve, tudo, e nada feito. Só ficar aqui, matando o tempo. Gostaria de ter alguma coisa para me ocupar.

— Ah, o mais puro espírito americano — comentou Poirot, com um sorriso.

O condutor recolocou a bagagem no lugar e o grupo dirigiu-se à cabina seguinte. O coronel Arbuthnot estava sentado a um canto, fumando cachimbo e lendo uma revista. Poirot explicou-lhe a sua intenção. O coronel não se opôs. Tinha apenas duas malas pesadas.

— O resto de minhas coisas seguiu por mar — explicou.

Como a maioria dos militares, o coronel arrumava as malas com facilidade. O exame da sua bagagem levou apenas alguns minutos. Poirot notou um pacote de limpadores de cachimbo.

— Usa sempre os do mesmo tipo? — perguntou.

— Normalmente. Quando consigo achá-los.

— Ah!

Os limpadores de cachimbo eram idênticos ao que fora encontrado no chão da cabina de Ratchett, o que serviu de motivo a um comentário do dr. Constantine, ao deixarem o coronel.

— *Tout de même* — murmurou Poirot —, dificilmente posso acreditar. Não é de *son caractère*, e, quando se diz isso, não se diz nada.

A porta da cabina seguinte estava fechada. Era ocupada pela princesa Dragomiroff. Bateram, e a voz da princesa permitiu-lhes entrar. Bouc falou pelo grupo, com grande deferência e polidez. A princesa ouviu-o, impassível.

— Se é de todo necessário, senhores — disse —, façam seu trabalho. Minha dama de companhia tem as chaves. Ela as apanhará para os senhores.

— Sua dama de companhia sempre leva as chaves, Madame? — perguntou Poirot.

— Certamente, Monsieur.

— E se durante a noite a Alfândega resolve pedir que abra alguma das malas?

— É muito difícil isso acontecer — a princesa deu de ombros —, mas, nesse caso, o condutor pode chamá-la.

— A senhora confia realmente nela, não, Madame?

— Já lhe disse isso. Não emprego pessoas em quem não confio.

— Sim — lembrou Poirot, pensativo —, confiança é algo precioso atualmente. É preferível, talvez, ter uma pessoa mais de casa do que uma empregada mais chique, por exemplo, uma parisiense...

Os olhos da princesa fixaram-se nos do detetive.

— O que quer dizer realmente, M. Poirot?

— Nada, Madame. Nada...

— Mas sim... O senhor acha, não acha, que eu deveria ter uma parisiense esperta para tomar conta das minhas coisas?

— Talvez fosse mais comum, Madame.

— Schmidt tem devoção por mim — murmurou a princesa, balançando a cabeça. — Devoção... *c'est impayable*.

A alemã chegara com as chaves. A princesa dirigiu-se a ela em seu idioma, dizendo-lhe para abrir as malas e ajudar os cavalheiros a examiná-las. Depois, esperou no corredor que terminassem o trabalho. Voltou-se para Bouc, que comandava a revista.

— Bem, o senhor não quer saber o que levo nas malas?

— Madame, trata-se de uma formalidade. Só isso.

— Tem certeza?

— No seu caso, sim.

— Embora eu conhecesse Sônia Armstrong e gostasse dela? O que pensa, então? Que eu não sujaria minhas mãos matando aquele *canaille*, Cassetti? Bem, talvez esteja certo... — A princesa manteve um momento de silêncio, e continuou: — O senhor sabe o que eu gostaria de fazer com um homem daqueles? Chamaria um dos meus criados e lhe diria para espancá-lo até a morte e depois atirá-lo numa lixeira. Era assim que se faziam as coisas na minha juventude, Monsieur.

Ele continuou a ouvi-la com atenção, preferindo nada dizer.

— O senhor nada diz, M. Poirot. Que está pensando?

— Acho, Madame — olhou-a diretamente nos olhos —, que a sua força está na vontade, não nos seus braços...

A princesa observou os próprios braços finos e mãos grandes e amarelas, cheias de anéis.

— É verdade — concordou ela. — Não tenho força nesses braços... Nenhuma força... E não sei se lamento ou se sou feliz por isso.

Abruptamente, a nobre dama voltou à cabina, onde a criada arrumava de novo as coisas. Interrompeu as escusas de Poirot:

— Não há por que desculpar-se, Monsieur. Um crime foi praticado; certas medidas têm de ser tomadas. Eis tudo.

— *Vous êtes bien amaible*, Madame.

Ela inclinou a cabeça e o grupo retirou-se. As portas das duas cabinas seguintes estavam fechadas. Bouc fez uma pausa e coçou a cabeça.

— *Diable!* Esta pode ser complicada. Passaportes diplomáticos. Têm bagagem liberada.

— No que diz respeito à Alfândega, sim. Mas alguém matou alguém...

— Sei, mas dá no mesmo... Não queremos nos meter em complicações.

— Não fique nervoso, meu caro. O conde e a condessa serão razoáveis. Veja como a princesa Dragomiroff foi compreensiva...

— Ela é, na verdade, *une grande dame*. Este casal está na mesma posição, mas o conde me pareceu um tanto ríspido. Ele não gostou quando você insistiu em falar com sua esposa. E isto vai aborrecê-lo ainda mais. Suponha... que nós os deixemos de lado. Afinal, eles não podem ter nada com o caso. Para que vou arranjar mais problemas para mim mesmo?

— Não concordo com você — esclareceu Poirot — e estou certo de que o conde Andrenyi será razoável. De qualquer maneira, vamos tentar.

Antes que Bouc pudesse responder, o detetive bateu à porta da cabina número 13.

— *Entrez* — disse alguém.

O conde estava sentado no canto, junto à porta, lendo um jornal. A condessa estava à sua frente, perto da janela. Atrás de sua cabeça, um travesseiro indicava que ela havia dormido.

— *Pardon*, Monsieur le Comte — começou Poirot —, rogo-lhe que nos perdoe a intromissão. Mas estamos fazendo uma revista de toda a bagagem do trem. Na maioria dos casos, mera formalidade que tem de ser cumprida. M. Bouc sugere que, como possuem passaporte diplomático, os senhores usem seus privilégios...

O conde pensou por uns minutos.

— Obrigado, mas não creio que seja necessário, nesse caso. Prefiro que nossa bagagem seja examinada como a dos demais.

— Você — voltou-se à mulher — não faz objeção, não é, Elena?

— Nenhuma — concordou a condessa.

A revista foi rápida e mesmo superficial. Poirot pareceu querer disfarçar seu embaraço, comentando que haviam mexido na etiqueta de uma das malas da condessa, onde apareciam iniciais encimadas por uma coroa. A condessa não respondeu à observação. Parecia, na verdade, aborrecida com a revista, e permanecia encolhida no seu canto, olhando lá para fora enquanto o grupo examinava a bagagem na cabina ao lado, também ocupada pelo casal. Poirot terminou a busca pelo pequeno armário sobre a pia, no qual observou uma esponja, creme facial, pó de arroz e um pequeno frasco com o rótulo de Trional. Em seguida, com observações polidas, o grupo retirou-se.

Passaram pela cabina de Mrs. Hubbard, de Ratchett e de Poirot, e chegaram à segunda classe. A primeira, leitos 10 e 11, era ocupada por Miss Debenham, que estava lendo um livro, e Greta Ohlsson, que dormia, mas despertara à sua entrada. Poirot repetiu a fórmula. A sueca pareceu agitar-se; Mary Debenham permaneceu indiferente. Poirot dirigiu-se inicialmente a Greta Ohlsson:

— Se permitir, Mademoiselle, examinaremos sua bagagem primeiro; talvez possa fazer-nos a gentileza de ver como vai Mrs. Hubbard. Nós a transferimos para uma das cabinas do carro seguinte, mas ela continua muito aborrecida. Pedi café para ela, mas creio que ela precisa falar com alguém.

A sueca instantaneamente mostrou-se mais afável. Iria logo. Deveria mesmo ter sido um choque terrível para ela, que já estava aborrecida com a viagem, e por ter deixado a filha. Certamente, iria logo. Sua mala não estava fechada. Levaria um pouco de amônia. Saiu. Suas coisas foram examinadas depressa. O grupo foi discreto ao extremo. Ela ainda não notara a falta dos prendedores de arame da caixa de chapéus. Miss Debenham pusera seu livro de lado e ficara observando Poirot. O detetive pediu-lhe as chaves, e ela estendeu-lhas. Quando ele ia levantando uma mala, ela lhe disse:

— Por que pediu a ela que saísse, Monsieur?

— Eu, Mademoiselle? Para que ajudasse à senhora americana...

— Excelente pretexto... mas, ainda assim, um pretexto.

— Não a compreendo, Mademoiselle...

— Creio que me entende muito bem. Queria ficar a sós comigo.

— Está-me atribuindo coisas que eu não disse, Mademoiselle...

— E pondo ideias na sua cabeça? Não, não creio. As ideias estão bem aí. Não é mesmo?

— Mademoiselle, temos um provérbio...

— *Qui s'excuse s'accuse*. É o que ia dizer? O senhor deve creditar-me um pouco de observação e bom senso. Por alguma razão o senhor enfiou na cabeça que eu tenho alguma coisa a ver com esse negócio sórdido, o assassinato de um homem que eu nunca vira antes.

— Está imaginando coisas, Mademoiselle.

— Não estou imaginando nada, mas parece-me que perde tempo em não dizer logo a verdade. Fica me sondando em vez de ir logo ao assunto...

— E a senhorita não quer perder tempo. Não, quer ir direto ao ponto. Gosta do método direto. Pois bem, vou perguntar-lhe o significado de certas palavras que a ouvi dizer na viagem que nos trouxe da Síria. Saí para esticar as pernas na estação de Konya, e ouvi-a dizer no meio da noite, ao coronel, que agora não, agora não... quando tudo estiver acabado, quando estiver para trás. O que significa isso?

— Acha que — disse com calma — eu queria dizer assassinato?

— É isto que estou lhe perguntando, Mademoiselle.

Miss Debenham suspirou, ficando por um minuto perdida em pensamentos. Depois respondeu:

— Aquilo tem um significado, Monsieur, mas nada que lhe possa revelar. Só posso dar-lhe minha solene palavra de honra de que eu nunca colocara os olhos em Ratchett, até vê-lo neste trem.

— Então, recusa-se a explicar aquelas frases?

— Sim, se quiser considerar assim. Recuso. Elas se referiam a uma tarefa da qual eu me encarregara.

— Uma tarefa que agora acabou?

— Que quer dizer com isto?

— Acabou, não?

— Por que pensa assim?

— Escute, Mademoiselle. Vou lembrar-lhe outro incidente. O trem demorou a chegar a Istambul; a senhorita estava agitada. Logo a senhorita, que é tão calma, tão controlada. A senhorita ficara nervosa.

— Não queria perder a baldeação.

— Foi o que disse. Mas o Expresso do Oriente deixa Istambul diariamente. Mesmo que perdesse a conexão, seria uma questão de 24 horas.

Pela primeira vez, Miss Debenham pareceu perder a paciência.

— O senhor não parece considerar que uma pessoa possa ter amigos à sua espera em Londres, e que um dia de atraso provoca muitos aborrecimentos.

— Ah, então é assim? Havia amigos esperando sua chegada, e não queria dar-lhes preocupações?

— Naturalmente...

— E ainda assim... curioso...

— O que lhe parece estranho?

— Agora estamos com novo atraso. E ainda mais sério, já que não há possibilidade de mandar um telegrama a seus amigos ou fazer um... um...

— Um *long distance*? O senhor quer dizer, telefonar...

— Sim, o *portmanteau call*, como se diz na Inglaterra...

— *Trunk call* — corrigiu Miss Debenham com um sorriso —; sim, é horrível não poder falar com ninguém, nem por telefone nem por telégrafo.

— Ainda assim, Mademoiselle, agora a senhora está bem calma. Não mostra impaciência.

Miss Debenham enrubesceu e mordeu os lábios. Não sorria mais.

— A senhorita não me responde?

— Sinto muito. Achei que nada havia a responder.

— Então, explique a razão da mudança de sua atitude, Mademoiselle.

— O senhor não acha que está fazendo tempestade em copo d'água, M. Poirot?

— Talvez seja um mal dos detetives. Esperamos sempre que o comportamento das pessoas seja coerente. Não admitimos mudanças de estados de espírito.

Miss Debenham não respondeu.

— Conhece bem o coronel Arbuthnot, Mademoiselle?

Poirot notou que Miss Debenham sentia-se aliviada pela troca de assunto.

— Vi-o pela primeira vez nesta viagem.

— Acha que ele conhecia Ratchett?

— Estou certa — asseverou ela, balançando a cabeça — de que ele não o conhecia.

— Como tem tanta certeza?

— Pelo seu modo de falar.

— Mesmo assim, Mademoiselle, encontramos um limpador de cachimbo no chão da cabina de Ratchett. E o coronel Arbuthnot é o único que fuma cachimbo por aqui.

O detetive observou-a demoradamente, mas ela não demonstrou surpresa nem emoção. Limitou-se a dizer:

— Trata-se de um absurdo. O coronel Arbuthnot seria o último homem no mundo a envolver-se numa crise, especialmente num escândalo como este.

Miss Debenham falava com tanta convicção que Poirot chegou a pensar em concordar com ela. No entanto, advertiu:

— Devo lembrá-la de que não o conhece há muito tempo, Mademoiselle.

— Conheço bem — deu de ombros — esse tipo.

— Continua — prosseguiu delicadamente o detetive — a recusar-se a contar-me o significado daquela conversa, ou de *quando tudo estiver para trás*?

— Nada mais — disse friamente — tenho a contar.

— Não importa — advertiu Poirot —, de uma forma ou de outra acabaremos descobrindo.

O detetive inclinou-se numa despedida e deixou a cabina, fechando a porta atrás de si.

— Acha que agiu certo, meu caro? — perguntou Bouc. — Colocou-a em guarda e, com isso, também o coronel...

— *Mon ami*, se quiser pegar um coelho, enfie alguma coisa em sua toca. Se houver coelho ali, ele correrá. Foi tudo o que fiz.

Entraram na cabina de Hildegarde Schmidt. A alemã estava de pé. Sua expressão era respeitosa, mas um tanto emocionada. Poirot deu uma rápida espiadela no conteúdo da pequena mala sobre a cadeira. Em seguida, pediu ao condutor que removesse a mala maior.

— As chaves — pediu.

— Não está trancada, Monsieur.

Poirot torceu os fechos e levantou a tampa.

— Ah! — exclamou, voltando-se para Bouc —, lembra-se do que eu disse? Olhe aqui por um momento!

Logo por cima, na mala, estava um uniforme marrom da Wagon Lit. A impassividade da alemã se quebrou repentinamente.

— Ach! — gritou ela. — Isto não é meu. Eu não o coloquei aí. Não toco nesta mala desde Istambul. É verdade, juro!

A alemã olhava para um e para outro. Poirot pegou-a pelo braço, gentilmente, e acalmou-a.

— Não, não. Está tudo bem. Acredito em você. Não fique nervosa. Tenho tanta certeza de que não escondeu o uniforme aí quanto a de que é uma boa cozinheira. A senhora é uma boa cozinheira, não?

— Sim, sou. — A mulher, mais tranquila, sorriu, a despeito de tudo. — Todas as minhas patroas dizem isso...

— Asseguro-lhe — voltou Poirot a tranquilizá-la — que está tudo bem. Vou contar como isso aconteceu: o homem que viu com o uniforme saiu da cabina do morto e esbarrou na senhora. Isso era ruim para ele. Que fez em seguida? Precisou livrar-se do uniforme. Não era mais um disfarce, era um perigo.

O detetive lançou um olhar para Bouc e Constantine, depois prosseguiu:

— Há a neve, como sabe. A neve atrapalhou todos os planos dele. Onde ele poderia esconder a roupa? Todas as cabinas estavam ocupadas. Não, ele passou por uma aberta e notou que não havia ninguém. Deveria ser a da mulher na qual esbarrara. Ele entrou, tirou o uniforme e o atirou apressadamente dentro de uma mala. Algum tempo deveria passar até que o descobrissem.

— E então? — perguntou Bouc.

— Isto é o que veremos — respondeu Poirot lançando-lhe um olhar de advertência. Um dos botões estava faltando. O detetive enfia a mão num dos bolsos e retira uma chave mestra, do tipo das que os camareiros usam para abrir todas as cabinas.

— Eis como o nosso homem pôde passar através de portas trancadas — comentou Bouc. — Suas perguntas a Mrs. Hubbard eram desnecessárias. Trancadas ou não, o homem pôde facilmente usar a porta de intercomunicação. Afinal, se podia usar um uniforme, por que não uma chave da Wagon Lit?

— Por que não? — perguntou também Poirot.

— Na verdade, deveríamos saber. Lembra-se de que Michel disse que a porta do corredor para a cabina de Mrs. Hubbard estava trancada quando ele foi atender a seu chamado?

— Isso mesmo, Monsieur — reforçou o camareiro —, eis por que pensei que a senhora poderia estar sonhando.

— Mas agora é fácil — continuou Bouc —; sem dúvida ele pretendia fechar novamente a porta de intercomunicação, mas alguma coisa o impediu de fazê-lo.

— Agora — disse Poirot — temos somente de encontrar o robe vermelho.

— Certo. E estas duas últimas cabinas são ocupadas por homens.

—Vamos revistá-las assim mesmo.

— Oh! Certamente. Além disso, lembro-me do que me disse...

Hector MacQueen aquiesceu prontamente ao pedido de busca.

— Sinto-me como o sujeito mais suspeito deste trem. Tudo o que precisam achar é um testamento pelo qual o velho me deixe todo o seu dinheiro, e pronto!

Bouc lançou-lhe um olhar de suspeição.

— Tudo isto é muito engraçado — comentou MacQueen — porque, na verdade, ele jamais me deixaria um centavo. Tudo que fiz foi ser-lhe útil com idiomas etc. É um péssimo negócio viajar quando se fala apenas uma língua, o inglês. Não sou nenhum poliglota, mas conheço o necessário para fazer compras, reservar hotéis etc., em francês, alemão e italiano.

MacQueen falava um pouco mais alto do que de costume, demonstrando estar embaraçado com aquela busca, embora quisesse fazer de conta de que o contrário ocorria.

— Nada — disse Poirot —, nem mesmo um testamento comprometedor.

— Bem — MacQueen suspirou —, então a minha consciência fica aliviada...

O grupo passou para outra cabina. O exame das bagagens do italiano e do valete não rendeu resultado. Ficaram, então, entreolhando-se no fim do vagão.

— E agora? — perguntou Bouc.

—Voltemos ao carro-restaurante — disse Poirot —, já que sabemos tudo por ora. Temos os depoimentos dos passageiros, as pistas nas bagagens, o testemunho dos nossos olhos. Não devemos esperar mais ajuda. Doravante, teremos de usar o cérebro.

Procurou sua cigarreira num dos bolsos. Estava vazia.

— Estarei com vocês num minuto — disse o detetive —; preciso de uns cigarros. Este caso é muito difícil, muito estranho. Quem usava o robe vermelho? Onde ele está agora? Creio que sei. Há alguma coisa, neste caso, algum ângulo, que me escapa. E é difícil, porque foi planejado assim. Mas nós discutiremos isso depois. Perdoem-me por um momento.

Poirot cruzou apressadamente o corredor e entrou na sua cabina para apanhar cigarros. Fechou a porta com o trinco. Sentou-se. Seus olhos se arregalaram com o que viu: *cuidadosamente dobrado sobre a sua mala, estava um robe de seda vermelho com dragões bordados.*

— Então — murmurou —, é assim. Um desafio. Muito bem... eu o aceito.

PARTE III

HERCULE POIROT PARA E PENSA

1
Qual deles?

Bouc e Constantine trocavam ideias quando Poirot chegou ao carro-restaurante. O diretor da estrada de ferro parecia deprimido.

— *Le voilà!* — exclamou, ao ver o detetive. — Se resolver este caso, *mon cher*, eu passarei a acreditar em milagres!

— Este caso o preocupa?

— Claro que me preocupa! Não consigo distinguir o princípio do fim...

— Concordo — disse o médico.

— Para ser franco, não sei o que você fará em seguida.

— Não? — perguntou Poirot, pensativo.

O detetive tirou a cigarreira do bolso e acendeu um cigarro. Seus olhos pareciam sonhar.

— É isto que torna o caso tão interessante para mim — comentou. — Todos os caminhos normais nos foram cortados. Será que essa gente diz a verdade ou está mentindo? Não temos como saber. Tudo se resume em exercício mental.

— Tudo está certo — concordou Bouc —, mas aonde quer chegar?

— Acabei de dizer-lhe. Temos os depoimentos dos passageiros e o testemunho de nossos olhos.

— Muita coisa, o que nos revelaram os passageiros! Eles não nos levaram a nada!

— Não concordo com o amigo. — Poirot sacudiu a cabeça. — Os depoimentos nos deram muitos pontos interessantes.

— Verdade — comentou Bouc —, só que não os vejo.

— Isto é porque você não escuta as coisas...

— Bem, mostre o que deixei passar.

— Darei apenas um exemplo: o primeiro depoimento que ouvimos. O de MacQueen. Ele pronunciou uma frase muito significante.

— Sobre cartas?

— Não, não a respeito das cartas. Se não me engano, ele disse: "Viajamos por aí. Mr. Ratchett queria conhecer o mundo. Ele se aborrecia por não falar outros idiomas. Eu trabalhava mais como intérprete do que como secretário."

O detetive olhou demoradamente para Bouc.

— O quê? Não percebeu ainda? Isto é imperdoável... E ele ainda lhe deu uma segunda oportunidade quando disse ser um mau negócio viajar, quando não se fala nada mais que inglês...

— Quer dizer...? — Bouc continuava intrigado.

— Ah, você quer tudo mastigado... Bem, lá vai: Ratchett não falava francês. Ainda assim, quando o condutor atendeu a seu chamado na noite passada, uma voz, em francês, disse-lhe que fora engano, e que ele não queria nada. Além disso, era uma perfeita expressão idiomática, só usada por quem conhece profundamente a língua: *ce n'est rien; je me suis trompé.*

— É mesmo! — concordou o dr. Constantine. — Devíamos ter reparado nisso. Lembro-me de que você a repisou, quando repetiu-a para nós. Agora compreendo a sua relutância em aceitar a pista do relógio quebrado. À 0h37, Ratchett já estava morto...

— E era o assassino falando! — completou Bouc.

Poirot levantou a mão, advertindo.

—Vamos devagar. Não imaginemos mais do que o devido. Acho melhor dizer que, àquela hora, 0h37, alguma outra pessoa estava na cabina de Ratchett, e que esta pessoa ou era francesa ou falava a língua fluentemente.

—Você é muito cauteloso, *mon vieux*...

— Deve-se dar um só passo à frente de cada vez. Não temos nenhuma prova de que Ratchett estava morto àquela hora.

— Houve o barulho que acordou você.

— Sim, é verdade.

— De certo modo — comentou Bouc — isso não muda muito as coisas. Você ouviu que alguém se movia na cabina ao lado. Não era Ratchett. Sem dúvida essa pessoa estava limpando o sangue das mãos, retirando as pistas, queimando a carta que o incriminava. Então ele esperou até que tudo ficasse calmo, quando o perigo passasse. Trancou a porta de Ratchett por dentro, abriu a porta de intercomunicação para a cabina de Mrs. Hubbard e passou para o outro lado. Na verdade, exatamente como tínhamos imaginado... *com a diferença de que Ratchett estava morto cerca de meia hora antes*, e que o relógio fora colocado em seu bolso para criar um álibi.

— Um álibi não muito consistente — comentou Poirot — porque o relógio marcava 1h15... a hora exata em que o assassino deixou o local do crime.

— Certo — disse Bouc, um tanto confuso —; então, que diz do relógio?

— Se os ponteiros foram movidos, eu disse *se*, então aquela hora devia ter alguma significação. E o caminho natural seria suspeitar de todos os que apresentaram um álibi para 1h15.

— Sim, sim — concordou o médico —, o raciocínio é bom.

— Precisamos também atentar para a hora em que o criminoso *entrou* na cabina. Quando ele teve oportunidade de fazê-lo? A menos que imaginemos a cumplicidade do verdadeiro condutor, houve apenas uma chance, durante a parada em Vincovci. Após a partida de Vincovci, o condutor sentou-se de frente para o corredor. Como muito pouca gente daria importância a um condutor ali, a única pessoa que poderia notar um impostor seria ele. Mas, durante a parada em Vincovci, o condutor foi à plataforma. O caminho estava limpo.

— E, pelo seu último raciocínio... deve ser um dos passageiros — asseverou Bouc. — Voltamos ao ponto de partida. Qual deles?

— Fiz uma lista. — Poirot sorriu. — Se a olharem, ela provavelmente refrescará a sua memória.

Bouc e o dr. Constantine olharam juntos a lista, escrita de maneira metódica, na ordem pela qual os passageiros tinham sido interrogados.

Hector MacQueen — *cidadão americano. Leito número 6 (segunda classe).*

Motivo: *Possível associação com o morto.*

Álibi: *De meia-noite às duas (meia-noite à 1h30 confirmado pelo coronel Arbuthnot e 1h15 às duas pelo condutor).*

Prova contra ele: *Nenhuma.*

Condutor — *Pierre Michel — cidadão francês.*

Motivo: *Nenhum.*

Álibi: *De meia-noite às duas (visto por H.P. no corredor ao mesmo tempo em que uma voz falou na cabina de Ratchett à 0h37. De uma à 1h16, confirmado por dois condutores).*

Prova contra ele: *Nenhuma.*

Circunstâncias suspeitas: *O uniforme encontrado é um ponto a seu favor, já que não houve intenção de incriminá-lo.*

Edward Masterman — *cidadão inglês. Leito número 4 (segunda classe).*

Motivo: *Possível ligação com o morto, do qual era valete.*

Álibi: *De meia-noite às duas (comprovado por Antonio Foscarelli).*

Indício contra ele: *Nenhum, exceto que é o homem do tamanho adequado ao uniforme da Wagon Lit.*

Circunstâncias suspeitas: *Por outro lado, não é provável que fale bem francês.*

Mrs. Hubbard — *cidadã americana. Leito número 3 (primeira classe).*

Motivo: *Nenhum.*

Álibi: *De meia-noite às duas — Nenhum.*

Indício contra ela: *A história sobre o homem em sua cabina é corroborada pelo testemunho de Hardman e pelo da senhora Schmidt.*

Greta Ohlsson — *cidadã sueca. Leito número 10 (segunda classe).*

Motivo: *Nenhum.*

Álibi: *De meia-noite às duas (confirmado por Mary Debenham).*

PRINCESA DRAGOMIROFF — *francesa naturalizada. Leito número 14 (primeira classe).*

Motivo: *Era ligada intimamente à família Armstrong e madrinha de Sônia Armstrong.*

Indício contra ela: *Nenhum.*

CONDE ANDRENYI — *cidadão húngaro. Passaporte diplomático. Leito número 13 (primeira classe).*

Motivo: *Nenhum.*

Álibi: *De meia-noite às duas (confirmado pelo condutor, mas isto não cobre o período de uma à 1h15).*

CONDESSA ANDRENYI — *cidadã húngara. Leito número 12.*

Motivo: *Nenhum.*

Álibi: *De meia-noite às duas. Tomou Trional e dormiu (confirmado por seu marido. Frasco de Trional em seu armário).*

CORONEL ARBUTHNOT — *cidadão inglês. Leito número 15 (primeira classe).*

Motivo: *Nenhum.*

Álibi: *Meia-noite às duas. Conversou com MacQueen até 1h30. Foi para a sua cabina e não mais saiu dela (confirmado por MacQueen e pelo condutor).*

Indício contra ele: *Limpador de cachimbo.*

CYRUS HARDMAN — *cidadão americano. Leito número 16 (segunda classe).*

Motivo: *Nenhum conhecido.*

Álibi: *Meia-noite às duas (confirmado por Edward Masterman).*

Indício contra ele: *Nenhum, exceto a arma usada, que se enquadra em seu temperamento.*

MARY DEBENHAM — *cidadã inglesa. Leito número 11 (segunda classe).*

Motivo: *Nenhum.*

Álibi: *Meia-noite às duas (confirmado por Greta Ohlsson).*

Circunstâncias suspeitas: *Conversa ouvida por H.P. e sua recusa de explicá-la.*

HILDEGARDE SCHMIDT — *cidadã alemã. Leito número 8 (segunda classe).*

Motivo: *Nenhum.*

Álibi: *Meia-noite às duas (confirmado pelo condutor e por sua patroa). Foi para a cama. Acordada pelo condutor aproximadamente à 0h38 para atender a patroa.*

Nota: *Os depoimentos dos passageiros são confirmados pelo condutor, segundo o qual ninguém entrou ou saiu da cabina de Ratchett entre meia-noite e uma hora, quando ele se dirigiu para o carro seguinte, e de 1h15 às duas.*

— Este documento — disse Poirot — é um mero resumo dos depoimentos ouvidos, organizado desta maneira por simples conveniência.

— Não é muito esclarecedor — comentou Bouc, devolvendo-lhe o papel.

— Talvez isto — Poirot passou-lhe uma segunda folha — esteja mais a seu gosto...

2
As perguntas

Na segunda folha, Poirot escrevera:

Coisas a serem esclarecidas

1. *A quem pertencia o lenço com a inicial H?*

2. O limpador de cachimbo: foi perdido pelo coronel Arbuthnot ou por outra pessoa?

3. Quem usava o robe vermelho?

4. Quem era o homem ou mulher disfarçado com um uniforme da Wagon Lit?

5. Por que os ponteiros do relógio marcavam 1h15?

6. Será que o assassinato foi cometido àquela hora?

7. Ou antes?

8. Ou depois?

9. Podemos estar certos de que Ratchett foi apunhalado por mais de uma pessoa?

10. Que outra explicação pode existir para os ferimentos?

— Bem — disse Bouc, aceitando o desafio à sua inteligência —, vejamos o que se pode fazer. Comecemos pelo lenço. Sejamos organizados e metódicos.

— Certamente — concordou Poirot, com satisfação.

— A inicial H — continuou Poirot, de modo didático — leva a três pessoas: Mrs. Hubbard, Miss Debenham (cujo segundo nome é Hermione) e a dama de companhia, Hildegarde Schmidt.

— Ah! E qual das três?

— É difícil dizer. Mas acho que devemos eleger Miss Debenham. Pelo que sabemos, ela pode ser chamada tanto pelo último sobrenome como pelo primeiro. Além disso, já existe algo de suspeito nela. Aquela conversa com o coronel, *mon cher*, foi tão estranha quanto sua recusa em explicá-la.

— Por mim, voto na americana — opinou o dr. Constantine —, pois trata-se de um lenço caro, e todo mundo sabe que os americanos não ligam para o dinheiro.

— Então ambos eliminam a alemã? — perguntou Poirot.

— Sim, pois, como ela mesma disse, é um lenço para gente mais abonada...

— E a segunda pergunta, sobre o limpador de cachimbo? Foi o coronel que o perdeu, ou alguém mais?

— Isso é mais difícil. Os ingleses não têm o costume de apunhalar. Assim, estou inclinado a imaginar que outra pessoa deixou-o cair, na tentativa de incriminar Arbuthnot.

— Como disse, M. Poirot — apoiou o médico —, duas pistas são muito descuido. Concordo com M. Bouc. O lenço é uma pista genuína, embora ninguém admita ser o seu dono; já o limpador de cachimbo é uma pista falsa. E, para confirmar, o coronel Arbuthnot não demonstra qualquer embaraço. Admite abertamente ser um fumante de cachimbo e preferir aquele tipo de limpador.

— O senhor raciocina bem — elogiou o detetive.

— Pergunta número três — continuou Bouc —: quem usava o robe vermelho? Quanto a esta, confesso não ter a menor ideia. Que acha, dr. Constantine?

— Absolutamente nada.

— Então fomos vencidos aqui. A pergunta seguinte tem, pelo menos, algumas possibilidades. Quem seria o homem ou a mulher disfarçado num uniforme da Wagon Lit? Bem, pode-se dizer quem não era: Hardman, Arbuthnot, Foscarelli, o conde Andrenyi e MacQueen, todos muito altos; Mrs. Hubbard, Hildegarde Schmidt e Greta Ohlsson, muito gordas. Então ficamos com o valete, Miss Debenham, a princesa Dragomiroff e a condessa Andrenyi, mas todas parecem fora de suspeita. Tanto Greta Ohlsson como Antonio Foscarelli juram que nem Miss Debenham nem o valete saíram de suas cabinas. Hildegarde Schmidt assevera que a princesa estava com ela, e o conde Andrenyi nos disse que sua mulher tomou um sonífero. Assim, parece que ninguém... mas isso é absurdo!

— Como já disse nosso amigo Euclides — murmurou Poirot.

— Tem de ser um deles — afirmou o dr. Constantine —, a menos que alguém de fora tenha encontrado um bom esconderijo, o que, já concordamos, é impossível.

— Número cinco. — Bouc passou à pergunta seguinte. — Por que o relógio marcava 1h15? Tenho duas explicações. Ou foi marcado pelo assassino para garantir um álibi, e depois ele se viu impedido de deixar a cabina, ou... espere, tenho uma ideia...

Poirot e Constantine aguardaram respeitosamente, enquanto Bouc se concentrava.

— Aqui está! Foi o assassino de uniforme quem mexeu no relógio. Foi o que consideramos o segundo assassino, a pessoa canhota, ou seja, a mulher de robe vermelho. Ela chegou depois e alterou a hora, para fabricar um álibi.

— Bravo! — aplaudiu o médico. — Que excelente raciocínio!

— Na verdade — interrompeu Bouc —, ela o esfaqueou no escuro, sem ver que ele já estava morto. Mas, de algum modo, deduziu que ele usava o relógio no bolso do pijama. Tirou-o, alterou às cegas a hora e amassou-o como necessário. Têm alguma coisa melhor — perguntou-lhes olhando-os com frieza — como explicação?

— Por ora — admitiu o detetive — não. Acho também — prosseguiu Poirot — que nenhum de vocês atentou para o fato mais interessante com relação ao relógio.

— A pergunta número seis — inquiriu o médico — relaciona-se a ele? O crime foi praticado à 1h15? Eu respondo negativamente.

— Concordo — reforçou Bouc. — Mas foi mais cedo? Acho que sim. E você, doutor?

O médico concordou:

— Sim, mas a outra pergunta, se foi mais tarde, também pode ser respondida positivamente. No entanto, acho que tanto eu como M. Poirot, embora ele não queira se comprometer, acreditamos que o crime foi praticado antes de 1h15. O primeiro assassino veio antes de 1h15, e o segundo depois. E, quanto a um deles ser canhoto, não deveríamos verificar?

— Não esqueci este detalhe — esclareceu o detetive. — Vocês devem ter notado que pedi a cada passageiro que escrevesse seu nome e endereço. Isto não pode ser conclusivo, pois algumas pessoas fazem umas coisas com a mão direita, e outras com a esquerda. Umas escrevem com a direita mas jogam golfe com a esquerda. Ainda assim, vale alguma coisa. Todos pegaram a caneta ou lápis com a mão direita, à exceção da princesa Dragomiroff, que não quis escrever.

— Não, não é possível que a princesa... — comentou Bouc.

— Duvido que ela tivesse força para desfechar aquele golpe com a mão esquerda — replicou o médico. — Aquele ferimento foi feito por alguém muito forte...

— Mais força do que teria uma mulher?

— Não, eu não diria assim. Mas mais força do que uma senhora idosa possa ter, e o físico da princesa é particularmente frágil.

— Pode ser uma questão de influência da mente sobre o corpo — comentou Poirot. — A princesa Dragomiroff tem uma personalidade forte e imensa força de vontade. Mas por ora deixemos isso de lado.

— Vamos às perguntas nove e dez. Podemos estar certos de que Ratchett foi esfaqueado por mais de uma pessoa? Ou que outra explicação poderíamos ter para os ferimentos? Na minha opinião de médico, não pode haver qualquer outra explicação. Não faz sentido pensar que um homem primeiro desfere golpes fracos, depois fortes e, após um intervalo, desfere mais golpes em quem já morreu.

— Não — concordou Poirot —, isto não faria sentido. Mas você acha que dois assassinos fazem mais sentido?

— Como me ouviu dizer, que outra explicação haveria?

— É o que me pergunto... é o que me pergunto...

— Está tudo aí. — Poirot reclinou-se na poltrona. — Os fatos estão em frente a nós, cuidadosamente organizados. Os passageiros estiveram aqui, um por um, prestando seus depoimentos. Sabemos tudo o que pode ser conhecido... de fora...

O detetive lançou um olhar carinhoso ao diretor da estrada de ferro.

— Até que tem sido uma boa brincadeira nossa esta de sentar e imaginar a verdade. Bem, estou quase pondo em prática a teoria. Façam o mesmo. Fechem os olhos e pensem... Um ou mais passageiros matou Ratchett. Mas quem?

3
Uma série de detalhes

Quinze minutos se passaram até que alguém falasse. Bouc e Constantine tinham tentado seguir as instruções de Poirot, vasculhando um monte de detalhes para encontrar uma explicação plausível.

Bouc imaginara qualquer coisa assim: É preciso pensar. Mas quanto mais penso... Poirot, é óbvio, pensa que a inglesa está envolvida no crime. Mas não acho que isso seja provável: os ingleses são muito frios. Talvez porque não usem muito os números... mas isso nada tem a ver com o caso. Parece que o italiano não poderia tê-lo feito... uma pena. Também acho que o valete não está mentindo quando diz que não saiu da sua cabina. Por que mentiria? Não é fácil interrogar os ingleses... eles são tão distantes! A coisa toda é muito confusa. Gostaria de saber quando terminaremos com isto. Alguma coisa deve estar andando. Mas eles são tão lentos nesses países... Passam-se horas até que alguém faça alguma coisa. E a polícia desses países! Eles são metidos a importantes, sempre preocupados com sua dignidade. Farão um caso rumoroso. Não é sempre que aparece uma coisa assim... irá para todos os jornais.

Daí em diante, Bouc perdeu-se em outros pensamentos. Já o médico pensou assim:

— Curioso, este homenzinho... Um gênio ou um excêntrico? Conseguirá elucidar o mistério? Impossível. Não consigo ver como... É tudo muito confuso. Todo mundo está mentindo, talvez. Mas, mesmo assim, isso não leva a nada. Se todos estivessem mentindo, será como se todos estivessem dizendo a verdade. Curioso tantos ferimentos. Não posso compreender. Seria mais fácil de entender se ele tivesse sido morto a tiros. País estranho, os Estados Unidos. Gostaria de ir lá. Tanto progresso! Quando voltar para casa, entrarei em contato com Demetrius Zagone... ele já esteve na América, tem ideias modernas. Que estaria fazendo agora? Se minha mulher...

O dr. Constantine mergulhou na sua vida particular. Hercule Poirot estava imóvel. Parecia até que adormecera. Subitamente, entretanto, abriu os olhos e mexeu-se vagarosamente. Deixou escapar um leve suspiro. Murmurou por entre os dentes:

— Mas, afinal, por que não? E, se for assim... tudo estará explicado...

Os olhos de Poirot brilhavam como os de um gato quando disse suavemente:

— *Eh bien*... Eu andei pensando... e vocês?

Perdidos em suas reflexões, os dois homens quase levaram um susto.

— Pensei muito — disse Bouc —, mas não consegui chegar a qualquer conclusão. A elucidação do crime é problema seu, não meu, *mon cher*...

— Eu também usei ao máximo a imaginação — explicou o dr. Constantine —, mas cheguei a uma série de teorias que não levam a nada.

Poirot concordou amavelmente. Pareceu mesmo dizer:

— Muito bem. Esta é a coisa certa a falar. Vocês deram a *deixa* que eu esperava...

O detetive ajeitou-se na poltrona, estufou o peito, acariciou os bigodes e começou a falar como se iniciasse um discurso:

— Amigos, revi os fatos, os depoimentos, chegando a uma conclusão. Acho, ainda que nebulosamente, que existe uma certa explicação para as contradições dos fatos. Uma explicação muito curiosa, tanto que não posso estar ainda certo da sua veracidade. Para comprovar isso, precisamos fazer uma experiência. Gostaria, primeiro, de mencionar alguns pontos que me parecem mais sugestivos. Comecemos com a observação de Bouc, quando de nosso almoço aqui neste mesmo lugar. Ele comentou o fato de que estávamos cercados de gente de todas as classes, idades, nacionalidades. Isto não é muito comum nesta época do ano. Os carros Atenas-Paris e Bucareste-Paris, por exemplo, estão quase vazios. Lembrem-se, também, que um dos passageiros deixou de embarcar. Acho isso da maior importância. Há outros pontos sugestivos, como por exemplo a posição da sacola de Mrs. Hubbard, o nome da mãe de Mrs. Armstrong, os métodos de investigação de Mr. Hardman, a sugestão de Hector MacQueen de que o próprio Ratchett destruíra a carta que encontramos, o nome de batismo da princesa Dragomiroff, e a mancha de tinta em um passaporte húngaro.

Bouc e Constantine permaneciam com os olhos pregados em Poirot.

— Algum desses pontos lhes sugere alguma coisa? — perguntou-lhes o detetive.

— Nada — respondeu Bouc com franqueza.

— Monsieur le Docteur?...

— Nem mesmo compreendo o que está falando.

Bouc, recordando uma das coisas tangíveis entre as que o detetive acabara de mencionar, procurava um passaporte entre os que estavam empilhados à sua frente. Retirou o do conde e da condessa Andrenyi.

— É disto que fala? Desta mancha?

— Sim. Como pode notar, a tinta está fresca. Vê onde está manchado?

— No princípio do nome da condessa. Para ser exato, em seu nome de batismo. Mas confesso que ainda não percebi aonde quer chegar.

— Vou mostrar-lhes outro ângulo. Voltemos ao lenço encontrado no local do crime. Como concluímos há pouco, existem três pessoas que podem ser ligadas à inicial: Mrs. Hubbard, Miss Debenham e Hildegarde Schmidt. Agora, observemos o lenço de outro ponto de vista. Trata-se, meus amigos, de um objeto muito caro, *un object de luxe*, feito à mão, bordado em Paris. Qual dos passageiros, sem levar-se em conta a inicial, poderia usá-lo? Mrs. Hubbard, não. Esta não faz extravagâncias no vestir. Igualmente Miss Debenham: ela é do tipo das que usam boa roupa, mas não cambraia de, talvez, duzentos francos. E muito menos a dama de companhia alemã. Mas existem duas mulheres que poderiam possuí-lo. Vejamos se podemos estabelecer uma relação delas com a letra H. Estas duas mulheres são a princesa Dragomiroff...

— Cujo nome de batismo é Natália — lembrou Bouc, com ironia.

— Exatamente. E seu nome de batismo, como dissemos, é sugestivo. A outra é a condessa Andrenyi. E, de repente, concluímos...

— Você!

— Então, eu concluo que seu nome de batismo, no passaporte, foi alterado por uma mancha de tinta. Elena. Suponhamos, então, que fosse Helena, com H. O H maiúsculo pode ser transformado em E maiúsculo, e a mancha de tinta, usada para encobrir tudo.

— Helena — murmurou Bouc —, excelente ideia, a sua...

— Claro que é uma ideia! E, se procurar uma confirmação, poderá encontrá-la Na etiqueta da bagagem dela.

— Você começa a me convencer — comentou Bouc —, mas a condessa Andrenyi...

— Ah, mas agora, *mon vieux*, será preciso observar um ângulo inteiramente diferente. Como quis o assassino parecer a todos? Lembre-se de que a neve atrapalhou todos os seus planos, pois o trem não seguiu normalmente a viagem. O que aconteceu, então? O assassinato teria sido descoberto quando já estivéssemos na fronteira da Itália, esta manhã. A polícia italiana colheria muitas informações. As cartas ameaçadoras seriam mostradas por MacQueen. Hardman contaria sua história. Mrs. Hubbard teria ficado ansiosa para dizer que um homem passara pela sua cabina, e o botão teria sido encontrado. Imagino que só duas coisas teriam sido diferentes. O homem teria passado pela cabina de Mrs. Hubbard pouco antes de uma hora, e o uniforme seria achado num dos banheiros.

— Quer dizer?...

— Quero dizer que o assassino arranjou tudo para que parecesse trabalho de alguém de fora. A polícia presumiria que o criminoso deixara o trem em Brod, aonde deveríamos chegar à 0h58. Alguém teria passado por um condutor diferente no corredor. O uniforme teria sido deixado num lugar determinado, de modo a mostrar como foi o truque. Nenhum dos passageiros seria suspeito. Mas esta é apenas a maneira pela qual o crime foi planejado: para que tudo parecesse assim. Mas o incidente com a neve mudou tudo. Sem dúvida, esta é a razão de ter o homem permanecido na cabina de sua vítima por tanto tempo. Esperava que o trem partisse. Mas logo concluiu que o trem não iria prosseguir. Teve de mudar os planos. Agora, o assassino teria de fazer face ao fato de que seria dado como ainda no trem.

— Sim, sim — rogou Bouc, impaciente —, compreendo tudo. Mas onde é que entra o lenço?

— Estou dando algumas voltas para chegar lá. De início, você precisa compreender que as cartas de ameaça serviram, de certa maneira, para despistar. Elas foram tiradas de uma novela americana. Na verdade, são irreais. Foram feitas para a polícia. O que temos de perguntar-nos é se elas confundiram Ratchett. Parece que não. As instruções dadas a Hardman indicam que Ratchett conhecia bem o inimigo. Isso se tomarmos como verdadeira a história de Hardman. Mas Ratchett, certamente, recebeu *uma* carta diferente, aquela que mencionava a criança, e da qual encontramos um pedaço na sua cabina. Se Ratchett não entendera antes, ela se destinava a deixar bem claro a razão das ameaças à sua vida. Esta carta, então, não deveria ser encontrada. E o primeiro cuidado do criminoso foi no sentido de destruí-la. E isto era o segundo obstáculo ao plano. O primeiro foi a neve; o segundo, quando reconstituímos o fragmento de papel.

— A destruição tão cuidadosa da carta — prosseguiu o detetive — só conduz a uma coisa: é que existe no trem alguém tão intimamente ligado à família Armstrong que a sua descoberta imediatamente levaria a esta pessoa. Agora, vamos a duas outras pistas. Deixo de lado o limpador de cachimbo. Passemos ao lenço. Tomado simplesmente, trata-se de uma pista que incrimina diretamente alguém com o nome começando por H, e perdido involuntariamente por essa pessoa.

— Que imediatamente — emendou Constantine — toma providências para alterar seu nome de batismo.

— Como você é apressado! Você chega a uma conclusão muito mais rapidamente do que eu me permitiria chegar...

— Há alguma outra alternativa?

— Mas é claro. Suponha, por exemplo, que você cometeu um crime e quer atirar a suspeita sobre outra pessoa. Bem, existe no trem uma pessoa intimamente ligada à família Armstrong, uma mulher. Suponha, então, que você deixa no local do crime um lenço pertencente àquela mulher... Ela será interrogada, suas ligações com a família Armstrong serão descobertas e *voilà*! Motivo e peça incriminatória.

— Mas, nesse caso — retrucou o médico —, a pessoa, sendo inocente, não tentaria alterar sua identidade.

— Ah, é o que pensa realmente? Isto é verdade para a delegacia de polícia. Mas conheço a natureza humana, meu caro, e posso assegurar-lhe que, uma vez acusada de assassinato, qualquer pessoa perde a cabeça e faz as coisas mais absurdas. Não, aquela mancha no passaporte não serve de prova. Indica apenas que, por qualquer razão, a condessa Andrenyi está ansiosa por esconder a grafia de seu nome.

— Qual, em sua opinião, pode ser a ligação dela com a família Armstrong? Ela diz que nunca esteve nos Estados Unidos...

— Exatamente. E ela fala um inglês imperfeito, exagera em sua aparência de estrangeira. Mas não será difícil dar um palpite sobre quem é ela. Ainda há pouco, mencionei o nome da mãe de Mrs. Armstrong, Linda Arden, uma atriz famosa, entre outras coisas por suas *performances* em Shakespeare. Pense em *As You Like It*: a floresta de Arden e Rosalind. Eis onde ela encontrou seu pseudônimo. Linda Arden, o nome mundialmente conhecido, não era um nome real. Pode ter sido Goldenberg... é bem provável que seu sangue fosse centro-europeu, talvez judeu. Gente de muitas nacionalidades emigra para a América. Sugiro-lhes, senhores, que a irmã mais nova de Mrs. Armstrong, aquela que era pouco mais que uma menina à época da tragédia, era Helena Goldenberg, irmã mais nova de Linda Arden. E que ela se casou com o conde Andrenyi quando servia como adido em Washington.

— Mas a princesa Dragomiroff diz que ela se casou com um inglês...

— Cujo nome ela não consegue lembrar! Pergunto-lhes, meus amigos, o que lhes parece mais provável? A princesa Dragomiroff amava Linda Arden como grandes damas amam grandes artistas. Ela foi madrinha de uma de suas filhas. Como poderia esquecer tão facilmente o nome de casada da outra? Não, não. Acho que a princesa está mentindo. Ela sabia que Helena estava no trem, tinha-a visto. E, tão logo descobriu quem era Ratchett, imaginou que Helena seria suspeita. Assim, quando lhe perguntamos sobre a irmã, ela mente... é vaga, não se lembra... mas acha que Helena casou-se com um inglês... algo que deve ser muito longe da verdade.

Um dos garçons passou pela porta e chegou até o grupo, dirigindo-se a M. Bouc.

— O jantar, Monsieur. Posso servir? Está pronto há algum tempo.

Bouc olhou Poirot, inquisitivamente. O detetive assentiu.

— Por Deus, deixe servir o jantar...

O garçom desapareceu pela porta. Em seguida, poder-se-ia ouvi-lo tocar uma sineta.

— *Premier service. Le dîner est servi. Premier dîner... First service...*

4
A mancha de tinta num passaporte húngaro

Poirot sentou-se à mesa com Bouc e dr. Constantine. O ambiente estava pesado. Os passageiros falavam pouco. Mesmo a loquaz Mrs. Hubbard estava estranhamente quieta.

— Não sinto vontade de comer nada — murmurou, ao sentar, e beliscou qualquer coisa que lhe serviram, encorajada pela senhora sueca, que parecia tomar conta dela como se esta fosse uma tarefa extra que lhe tivessem atribuído.

Constantine parecia adivinhar quais seriam as instruções, notando que o conde e a condessa Andrenyi sempre eram servidos por último e, ao fim da refeição, houve demora em apresentar-lhes a conta. Em consequência, o casal seria o último a deixar o carro-restaurante.

Quando já se levantavam e caminhavam para a porta, Poirot os reteve:

— *Pardon*, Madame, deixou cair o seu lenço. — O detetive estendia-lhe o lenço com a inicial H.

A condessa pegou-o, olhou-o e devolveu-o ao detetive.

— Engana-se, Monsieur. Este lenço não é meu.

— Não é seu? Tem certeza?

— Completamente, Monsieur.

— Ainda assim, Madame, tem a sua inicial, H.

O conde fez um movimento brusco. Poirot ignorou-o. Seus olhos fixavam-se nos da condessa, que lhe disse:

— O senhor não compreende, Monsieur, que minhas iniciais são E e A?

— Acho que não. Seu nome é Helena, com H. Helena Goldenberg, a irmã mais nova de Linda Arden... Helena Goldenberg, a irmã mais nova de Mrs. Armstrong.

Por um minuto, fez-se um silêncio terrível. Tanto a condessa como o conde tinham ficado brancos como cera. Poirot disse em tom gentil:

— Não há por que mentir. Esta é a verdade, não é?

O conde redarguiu, furioso:

— Rogo-lhe, Monsieur, que me diga com que direito...

— Não, Rudolph — interrompeu ela, colocando delicadamente a mão sobre o seu braço —, deixe-me falar. Não adianta mais negar o que diz o cavalheiro. Melhor sentar e discutir o assunto.

A voz da condessa mudara. Continuava altiva, mas repentinamente ficara mais clara e incisiva. Pela primeira vez, parecia de uma americana. O conde fora silenciado. O casal sentou-se à frente de Poirot.

— É verdade o que diz, Monsieur. Sou Helena Goldenberg, a irmã mais nova de Mrs. Armstrong.

— A senhora não me revelou isto esta manhã, Madame la Comtesse.

— Não.

— Na verdade, o que a senhora e seu marido me disseram foi um monte de mentiras.

— Monsieur — observou o conde, irritado.

— Não se irrite, Rudolph. M. Poirot está colocando as coisas de maneira rude, mas o que diz é irrefutável.

— Fico feliz por admitir os fatos assim, Madame. Poderia agora dar-me as razões de ter alterado o seu nome no passaporte?

— A responsabilidade é toda minha — observou o conde.

— É claro, M. Poirot — disse Helena com calma —, que o senhor pode adivinhar minhas razões, ou nossas razões. Esse homem assassinado matou minha sobrinha, despedaçando o coração de meu cunhado. Três das pessoas que eu mais amava e que constituíam meu lar, meu mundo!

Sua voz saía emocionada. Na verdade, ela mostrava ser irmã daquela atriz cujo desempenho no palco muitas vezes levara as plateias às lágrimas. Prosseguiu mais devagar ainda:

— Provavelmente, de todas as pessoas neste trem, eu sou a única que teria razões para levantar a mão contra aquele homem.

— E a senhora não o matou, Madame?

— Juro-lhe, M. Poirot, e meu marido sabe e também poderá jurar que, por mais que tenha estado tentada a fazê-lo, jamais levantei um dedo contra aquele homem.

— Eu também, cavalheiros — disse o conde —; dou-lhes minha palavra de honra que, na noite passada, Helena não deixou sua cabina. Tomou uma pílula para dormir, exatamente como lhes disse. Ela é inteiramente inocente.

Poirot observou os dois demoradamente.

— Minha palavra de honra — repetiu o conde.

O detetive sacudiu a cabeça.

— Ainda assim, assume a responsabilidade por ter alterado o nome no passaporte?

— M. Poirot — o conde falava emocionado —, considere a minha posição. O senhor acha que eu poderia suportar a ideia de ter minha esposa envolvida num sórdido caso de polícia? Ela era inocente, eu sabia disso, mas, devido à sua ligação com a família Armstrong, ela seria imediatamente suspeita. Eles a teriam levado a interrogatório, talvez fosse presa. Foi a má sorte que nos colocou no mesmo trem que Ratchett. Admito, Monsieur, ter-lhe mentido. Tudo, menos uma coisa: minha mulher nunca deixou sua cabina.

O conde falava com tanta convicção que dificilmente seria possível duvidar dele.

— Não digo, Monsieur, que não acredito no senhor — disse Poirot. — Sua família, pelo que sei, é tradicional. Seria realmente lastimável para o senhor ter sua mulher envolvida num desagradável caso policial. Com isto concordo. Mas como, então, o senhor explica o lenço de sua esposa na cabina do morto?

— Não sei — o conde respondeu à pergunta. — Soubemos que fora encontrado um lenço com a inicial H. Discutimos juntos o assunto antes de sermos entrevistados. Observei a Helena que, se vissem que seu nome começava por H, evidentemente ela seria submetida a um interrogatório mais rigoroso. E era tão simples alterar-lhe o nome...

— O senhor, Monsieur le Comte, tem as características de um criminoso refinado — observou Poirot secamente. — Uma grande e natural ingenuidade e uma determinação aparentemente irreversível para enganar a Justiça.

— Oh, não, não, M. Poirot — interrompeu a moça. — Ele lhe disse como tudo aconteceu. — Mudou do francês para o inglês. — Eu estava apavorada, o senhor sabe. Foi tudo tão terrível daquela vez, e ter tudo revivido novamente... E ser suspeita e talvez jogada na prisão... Eu fiquei apavorada, M. Poirot. Será que o senhor não pode compreender?

A voz da irmã de Linda Arden, a atriz, era num tom meigo, de quem implora. Poirot olhou-a com gravidade.

— Se devo acreditar, Madame... e não digo que não vou acreditar na senhora... então precisa ajudar-me.

— Ajudá-lo?

— Sim. A causa do assassinato está no passado, na tragédia que destruiu o seu lar e estragou-lhe a juventude. Leve-me de volta ao passado, Madame, até onde eu possa encontrar o elo que explique a coisa toda.

— O que lhe posso contar? Todos estão mortos — repetiu amargurada. — Todos mortos: Robert, Sônia... Daisy, querida. Ela era tão doce, tão alegre... um lindo cabelo ondulado. Éramos todos loucos por ela.

— Houve outra vítima, Madame. Uma vítima indireta, digamos assim.

— A pobre Susanne? Sim, havia esquecido dela. A polícia a interrogou, convencida de que ela possuía alguma ligação com o crime. Ela, creio eu, tinha falado com alguém sobre a hora das saídas de Daisy. A pobre criatura foi terrivelmente envolvida... pensou que seria responsabilizada. Jogou-se da janela. Foi horrível!

A condessa escondeu o rosto entre as mãos.

— Qual a nacionalidade dela, Madame?

— Era francesa.

— Como era seu último nome?

— É absurdo, mas não consigo lembrar-me. Todos a chamávamos de Susana. Uma garota muito alegre. Devotada a Daisy.

— Ela era babá, não?

— Sim.

— Quem era a governanta?

— Era uma enfermeira treinada num hospital. Seu nome era Stengelberg. Era, também, devotada a Daisy e a minha irmã.

— Agora, Madame, preciso que pense cuidadosamente antes de responder. Desde que pegou este trem, reconheceu alguém?

— Eu? Definitivamente não.

— Que me diz da princesa Dragomiroff?

— Oh, ela? Eu a conheço, é claro. Pensei que queria dizer alguém... alguém daquela época...

— Isso mesmo, Madame. Agora pense cuidadosamente. Lembre-se de que alguns anos já se passaram. A pessoa pode ter mudado de aparência...

— Não... — Helena respondeu depois de algum tempo. — Definitivamente não, ninguém.

— A senhora era muito jovem naquela época. Não tinha ninguém para tomar conta de si ou orientar-lhe os estudos?

— Oh, sim. Eu tinha uma *dragon*, um tipo de governanta que servia também de secretária à Sônia. Era inglesa ou escocesa. Uma mulher robusta, de cabelos avermelhados.

— Como se chamava?

— Miss Freebody.

— Velha ou moça?

— Parecia-me um tanto velha. Acho que não teria mais de quarenta anos. Susanne, é claro, cuidava de mim e das minhas roupas.

— Quem mais morava na casa?

— Apenas criados.

— Tem certeza, Madame, que não reconheceu ninguém neste trem?

— Não, Monsieur. Ninguém.

5
O nome de batismo da princesa Dragomiroff

Liberando o conde e a condessa, Poirot voltou-se para os dois amigos.

— Como veem, progredimos.

— Excelente trabalho — observou Bouc cordialmente —; da minha parte, eu jamais sonharia em suspeitar do conde e da condessa Andrenyi. Admito que eu os imaginava *hors de combat*. Acho que não há dúvida de que ela cometeu o crime, não é? Mas é triste. Ainda assim, eles não a levarão à guilhotina. Há circunstâncias atenuantes. Apenas alguns anos de prisão.

—Você está realmente convencido de que ela é culpada?

— Meu bom amigo, há alguma dúvida disso? Pensei que seu modo de levar as coisas era apenas para tornar tudo mais fácil, até que a polícia cuidasse do resto.

— Você não acredita no que o conde, sob palavra de honra, disse? Que sua mulher é inocente?

— *Mon cher*... naturalmente. Que mais diria? Ele adora sua mulher. Quer protegê-la. Mente muito bem, como um *seigneur*, mas como poderia ser diferente?

— Oh!, não. Tenho um palpite de que é verdade...

— Não, não. O lenço, lembre-se. O lenço comprova tudo.

— Dá no mesmo...

Bouc parou de falar. A porta se abrira, e a princesa Dragomiroff entrara no carro-restaurante. Dirigiu-se diretamente ao grupo, que se levantou à sua chegada. Falou a Poirot:

— Acredito, Monsieur, que o senhor está com um dos meus lenços.

O detetive dirigiu aos amigos um olhar de triunfo.

— É este aqui, Madame?

— Este mesmo. Tem minha inicial num dos cantos.

— Mas, Madame la Princesse, esta é a letra H — disse Bouc —, seu nome de batismo, *pardon*, é Natália...

— Correto, Monsieur. Meus lenços sempre são bordados em caracteres russos. H é N em russo.

Bouc foi apanhado meio de surpresa. Havia qualquer coisa naquela senhora que não o deixava à vontade.

— A senhora não nos disse isso quando interrogada esta manhã.

— O senhor não me perguntou — respondeu secamente a princesa.

— Peço-lhe que se sente, Madame — disse Poirot. — Acho melhor...

— Não precisam demorar com isso — observou ela, sentando-se —, sei que sua próxima pergunta será o que fazia o meu lenço na cabina do morto. Minha resposta é de que não tenho a menor ideia.

— Qualquer que seja? Perdoe-me, Madame, mas até onde podemos acreditar na veracidade do que diz?

— Creio que se baseiam no fato de eu não lhes ter contado que Helena era irmã de Mrs. Armstrong?

— Na verdade, a senhora mentiu-nos deliberadamente a respeito.

— Certamente, e faria o mesmo de novo. Sua mãe era minha amiga. Acredito, senhores, na lealdade... lealdade a um amigo, a uma família, a um castelo...

— Não acredita no dever de ser leal à Justiça?

— Neste caso creio que a Justiça, a estrita Justiça, já foi feita.

— A senhora — Poirot inclinou-se para a frente — pode ver, Madame, como é difícil a minha posição. Como acreditar no que diz a respeito do lenço? Ou está protegendo a filha da sua amiga?

— Ah, sei o que quer dizer — a princesa sorriu —, mas o que digo pode ser facilmente comprovado. Eu lhes darei o endereço do fabricante em Paris. Tudo o que têm a fazer é mostrar-lhe o lenço e ele lhes informará que eu os encomendei há um ano. O lenço é meu, sim! Desejam saber mais alguma coisa? — perguntou ela, levantando-se.

— A sua dama de companhia, Madame, reconheceu o lenço quando nós lhe mostramos, esta manhã?

— Deve tê-lo reconhecido. Por que não falou? Isto mostra que também ela sabe ser leal.

Com uma leve inclinação da cabeça, despediu-se e saiu.

— Então é assim — murmurou Poirot —, eu havia notado uma certa hesitação ao perguntar à alemã se sabia a quem pertencia o lenço. Ela não tinha certeza de que era da sua patroa. Mas como isso pode se enquadrar em minha ideia central? Ah, sim, é possível...

— Ah! — exclamou Bouc, com um gesto significativo. — Uma terrível senhora!

— Poderia ter assassinado Ratchett? — perguntou Poirot ao médico.

— Aqueles golpes — dr. Constantine balançou a cabeça —, principalmente os que penetraram nos músculos, jamais poderiam ter sido infligidos por uma pessoa do seu físico.

— Mas, e os mais fracos?

— Esses, sim.

— Estou me lembrando — disse o detetive — do incidente desta manhã, quando eu disse que a sua força estava mais nela do que no seu braço. Aquela observação foi, de certa maneira, uma armadilha. Esperava que ela olhasse para seu braço direito ou esquerdo. Ela não olhou para nenhum, mas deu uma estranha resposta. Disse: "Não, não tenho força neles. Não sei se devo lamentar ou alegrar-me." Que estranha observação! Mas isso me confirma o que penso sobre o crime.

— Isto não diz nada sobre ela ser canhota.

— Não. Por falar nisto, notou que o conde Andrenyi guarda seu lenço no bolso direito do peito?

Bouc sacudiu a cabeça. Seu pensamento dava voltas com os últimos acontecimentos. Murmurou:

— Mentiras e mais mentiras... isto me intriga. Quanta mentira estiveram nos contando esta manhã...

— Há mais ainda por descobrir — comentou Poirot alegremente.

— As duplicidades são terríveis, mas parecem agradar-lhe.

— Trata-se de uma vantagem. Quando se confronta com a verdade alguém que está mentindo, ela é costumeiramente aceita, muitas vezes sem surpresa. Todo o necessário é imaginar certo, para produzir tal efeito. Aliás, esta é a única maneira de conduzir a investigação. Escolho, de cada vez, um passageiro, considero seu depoimento e pergunto a mim mesmo se está mentindo, onde e por quê? E eu mesmo respondo. E até agora temos tido o maior sucesso. Continuemos com este método para outras pessoas.

— Mas suponha, amigo, que seu palpite possa estar errado?

— Então alguém ficará livre de qualquer suspeita.

— Um processo de eliminação...

— Exatamente.

— Quem experimentaremos em seguida?

— O *pukka sahib*, coronel Arbuthnot.

6
Uma segunda entrevista com Arbuthnot

Ao ser convocado para uma segunda entrevista, o coronel Arbuthnot mostrou-se aborrecido. Sua expressão, ao sentar-se, era de irritação.

— Bem? — perguntou ele.

— Mil desculpas por incomodá-lo novamente — disse Poirot —, mas existem ainda alguns pontos que talvez possa nos esclarecer.

— Verdade? Não creio.

— Para começar, vê este limpador de cachimbo?

— Sim.

— É um dos seus?

— Não sei. Não ponho nenhuma marca neles.

— Está informado, coronel, de que é o único fumante de cachimbo neste trem?

— Neste caso, é provável que seja meu.

— Sabe onde foi encontrado?

— Não tenho a menor ideia.

— Estava perto do corpo do homem assassinado.

O coronel Arbuthnot arregalou os olhos.

— Poderia dizer-nos, coronel, de que maneira ele poderia ter ido parar ali?

— Se quer dizer que eu o deixei cair, a resposta é não.

— Esteve alguma vez na cabina de Ratchett?

— Nunca falei com aquele homem.

— Nunca falou com ele, nem o matou?

O coronel franziu as sobrancelhas sarcasticamente.

— Se eu o tivesse feito, seria pouco provável que o dissesse. Mas na verdade eu não matei o sujeito.

— Ah — murmurou Poirot —, era inconsequente...

— Perdão, senhor...

— Disse que era inconsequente.

— Oh! — exclamou o coronel, observando Poirot e mostrando-se pouco à vontade.

— O senhor vê — prosseguiu o detetive —, o limpador de cachimbo não tem qualquer importância. E eu posso imaginar outras 11 razões para a sua presença. Na verdade, queria vê-lo por outro motivo. Talvez Miss Debenham tenha lhe contado que ouvi trecho de sua conversa em Konya.

Arbuthnot não respondeu.

— Ela disse: "Agora não. Quando tudo acabar. Quando estiver para trás." O senhor sabe a que ela se referia?

— Sinto muito, M. Poirot, mas é meu dever recusar-me a responder-lhe.

— *Pourquoi?*

— Sugiro-lhe — observou brusca e secamente o coronel — que pergunte a Miss Debenham.

— Eu já o fiz.

— E ela recusou-se a dizer-lhe?

— Sim.

— Então acho que deve ficar claro, inclusive para o senhor, que minha boca permanecerá fechada.

— O senhor não revelaria o segredo de uma *lady*?

— O senhor pode colocar assim, se quiser.

— Miss Debenham disse-me que se tratava de um assunto particular.

— Então por que não acreditar nela?

— Porque, meu caro coronel, Miss Debenham tem o que eu chamo de caráter suspeito.

— Um contrassenso.

— Não, não é um contrassenso.

— O senhor não tem nada contra ela.

— Nem o fato de Miss Debenham ter sido segunda governanta na casa dos Armstrong ao tempo do sequestro de Daisy Armstrong?

Fez-se um silêncio que parecia não acabar.

— Como vê — prosseguiu Poirot —, sabemos muito mais do que o senhor pensa. Se Miss Debenham é inocente, por que escondeu este fato? Por que me disse que jamais fora aos Estados Unidos?

— O senhor — Arbuthnot pigarreou — não poderia estar enganado?

— Não estou cometendo engano algum. Por que Miss Debenham mentiu para mim?

O coronel deu de ombros.

— Melhor que pergunte a ela. Continuo achando que o senhor se enganou.

Poirot levantou a voz e chamou um dos garçons.

— Pergunte à senhorita do número 11 se ela pode vir até aqui.

— *Bien*, Monsieur.

O empregado saiu. Os quatro homens permaneceram em silêncio. O rosto do coronel parecia ter sido entalhado em madeira, rígido e impassível.

O garçom voltou.

— A senhorita já vem vindo, Monsieur.

— Obrigado.

Um ou dois minutos depois, Mary Debenham entrava no carro-restaurante.

7
A identidade de Mary Debenham

Mary Debenham não usava chapéu. Jogava a cabeça para trás, como que num desafio. Seu penteado e nariz davam-lhe a aparência de um navio velejando elegantemente os mares. Estava linda. Seus olhos fixaram Poirot por um minuto, não mais do que isso.

— Queria ver-me?

— Queria perguntar-lhe, Mademoiselle, por que nos mentiu hoje de manhã.

— Menti? Não sei o que quer dizer.

— Escondeu-nos o fato de que, ao tempo da tragédia dos Armstrong, a senhorita morava na casa. Disse-me que nunca estivera na América.

Poirot viu-a estremecer por um momento, e em seguida recuperar-se.

— Sim, e é a verdade.

— Não, Mademoiselle, era mentira.

— O senhor me compreendeu mal. Disse ser verdade que menti.

— Ah, então admite?

— Certamente — a moça sorriu —, desde que o senhor descobriu.

— Pelo menos a senhorita é franca...

— Não me resta outra coisa além disso.

— Bem, é verdade. E agora, Mademoiselle, posso perguntar-lhe a razão das evasivas?

— Eu diria que as razões são óbvias, M. Poirot.

— Não são óbvias para mim, Mademoiselle.

— Tenho — disse em voz calma, denotando certa frieza — de viver a vida.

— Quer dizer...

— O que sabe o senhor — levantou os olhos e olhou Poirot com firmeza — ... a respeito de lutar para conservar um emprego decente? O senhor acha que uma moça que esteve detida devido a ligações com um assassinato, cujo nome e, talvez, fotografias saíram nos jornais ingleses... o senhor acha que seria empregada por uma dona de casa comum, inglesa, como governanta, para tomar conta de suas filhas?

— Não vejo por que não, se não teve culpa de nada.

— Oh, culpa... não me refiro a culpa. Falo de publicidade! Assim, M. Poirot, consegui vencer na vida. Consegui empregos agradáveis, bem-pagos. De modo algum eu arriscaria tudo isso por nada.

— Eu arriscaria sugerir, Mademoiselle, que o melhor juiz para isso seria eu, e não a senhorita.

Ela deu de ombros.

— Por exemplo, a senhorita poderia ter-me ajudado com as identificações.

— Aonde quer chegar?

— A senhorita não reconheceu na condessa Andrenyi a irmã mais nova de Mrs. Armstrong, que dera como se estivesse em Nova York.

— A condessa Andrenyi? Não — sacudiu a cabeça —, pode parecer-lhe extraordinário, mas não a reconheci. Ela ainda crescia quando eu a vi. Isto foi há mais de três anos. É verdade que a condessa me lembrou alguém. Mas ela parece tão estrangeira... jamais poderia fazer qualquer ligação com a jovem estudante. E, na verdade, eu só a vi casualmente no carro-restaurante. Observei mais seu modo de vestir do que seu rosto. Além disso, tinha as minhas preocupações.

— Continua recusando-se a revelar-me seu segredo?

— Não posso — murmurou ela —, não posso...

De repente, Miss Debenham perdeu o controle dos nervos, colocando o rosto entre os braços e chorando desesperadamente. O coronel levantou-se e colocou-se atrás dela.

— Eu... olhe aqui... — gaguejou. — Eu quebrarei cada um de seus ossos, seu abelhudo miserável!

— Monsieur! — protestou Bouc.

— Mary — Arbuthnot dirigia-se à moça —, pelo amor de Deus...

— Não é nada — a jovem recuperou-se —, está tudo bem. O senhor não precisa mais de mim; não é,

M. Poirot? Se quiser, terá de achar-me. Oh, que tola estou sendo!

A inglesinha saiu correndo do carro-restaurante. Arbuthnot seguiu-a, depois de dizer a Poirot:

— Miss Debenham não tem nada a ver com isto. Nada, compreende? E se ela for perturbada, o senhor terá que se ver comigo.

— Gosto de ver os ingleses irritados — comentou Poirot. — Eles ficam divertidos. Quanto mais se emocionam, menos controlam a língua.

Bouc não se mostrara interessado pelas reações emotivas do inglês. Sentia uma enorme admiração pelo amigo.

— *Mon cher, vous êtes épatant* — bradou —; ou palpite miraculoso. *C'est formidable...*

— Incrível como deduz as coisas — acrescentou Constantine.

— Não me creditem nada desta vez. Não foi palpite. Praticamente a condessa Andrenyi contou-me tudo.

— *Comment?*

— Lembra-se de que eu lhe perguntei sobre a governanta ou sua companheira? Eu já decidira que, se Mary Debenham estivesse envolvida, ela deveria ter trabalhado na casa naquela condição.

— Sim, mas a condessa descreveu uma pessoa completamente diferente.

— Exato. Uma mulher alta, de meia-idade, de cabelos ruivos... na verdade, o oposto a Miss Debenham, e tanto que chega a chamar a atenção. Mas então ela teve de inventar um nome rapidamente, e a associação de ideias a traiu. Ela disse Miss Freebody...

— Sim.

— *Eh bien*, vocês podem não saber, mas uma loja, em Londres, até pouco tempo atrás chamava-se Freebody & Debenham. Com o nome Debenham na cabeça, ela deu o outro. Compreendi tudo imediatamente.

— O que é outra mentira. Por que fez isso?

— Possivelmente mais lealdade. O que torna as coisas mais difíceis.

— *Ma foi* — disse Bouc, violento —, será que todo mundo mente neste trem?

— Isto — disse Poirot — é o que estamos a ponto de ver.

8
Mais revelações surpreendentes

— Nada mais pode me surpreender agora! — afirmou Bouc. — Nada! Mesmo que todos neste trem tenham morado com os Armstrong, eu não ficaria surpreso.

— Esta é uma observação muito profunda — retrucou Poirot —, mas não gostaria de ver seu suspeito favorito, o italiano?

— Você vai dar outro daqueles palpites?

— Precisamente.

— Este caso é mais do que extraordinário — comentou Constantine.

— Não, é mais do que natural...

— Se é isto que considera — Bouc observou num tom cômico — natural, *mon ami*...

Poirot, desta vez, pedira ao garçom para que chamasse Antonio Foscarelli. O italiano demonstrava timidez no olhar.

— O que desejam? Já não lhes disse tudo o que sabia? *Per Dio*...

— Sim, o senhor tem algo mais a dizer-nos — disse Poirot. — A verdade!

— A verdade? — Seu olhar atingiu o detetive, e seus modos já não eram tão seguros.

— *Oui*. Pode ser que já saibamos de tudo, mas será um ponto a seu favor se nos contar espontaneamente.

— O senhor fala como a polícia americana. *Come clean*, dizem eles...

— Ah, então já teve alguma experiência com a polícia de Nova York?

— Não, nunca. Eles não conseguiram provar nada contra mim, embora tivessem tentado.

— Refere-se ao caso Armstrong, não? Você era o motorista?

O olhar do detetive cruzou com o do italiano. O homem parecia um balão furado.

— Desde que o senhor já sabe, para que perguntar?

— E por que mentiu hoje pela manhã?

— Negócios. Além disso, eu não confio na polícia iugoslava. Eles odeiam os italianos. Não me fariam justiça.

— Talvez fosse exatamente justiça o que eles lhe dariam!

— Não, não, não tenho nada a ver com o crime de ontem à noite. Jamais deixei minha cabina. O inglês de cara comprida pode confirmar isso. Não fui eu quem matou este porco, Ratchett. O senhor não pode provar nada contra mim.

Poirot escrevia qualquer coisa num papel. Em seguida, disse ao italiano:

— Muito bem, pode ir.

— O senhor não pensa — Foscarelli perguntou preocupado — que eu tenho alguma coisa a ver com aquilo, não é?

— Disse que pode ir.

— Isto é traição. Vocês vão me culpar? Tudo por causa daquele porco que deveria ter ido para a cadeira elétrica! Uma infâmia que ele não tenha ido! Se tivesse sido eu... se eu tivesse sido preso...

— Mas não foi você. Você não teve nada com o sequestro da criança.

— Que está dizendo! Aquela pequenina... era o encanto da casa. Chamava-me Tônio. Sentava no carro e brincava no volante. Toda a criadagem a adorava. Até a polícia compreendeu isso. Ah, menina linda!

A voz de Foscarelli se acalmara. As lágrimas começaram a correr dos seus olhos. Então voltou-se nos calcanhares e saiu do vagão.

— Pietro — chamou Poirot.

O garçom veio correndo.

— O número 10... a senhora sueca.

— *Bien*, Monsieur.

— Outra vez? — perguntou Bouc. — Não é possível. Diga-lhe que não é possível...

— *Mon cher*, temos de saber. Mesmo que no fim todos tenham um motivo para ter morto Ratchett, nossa tarefa é descobrir. Feito isso, poderemos saber com quem fica a culpa.

— Minha cabeça está girando...

Greta Ohlsson entrou soluçando no carro-restaurante. Despencou-se na poltrona em frente ao detetive e assoou o nariz num grande lenço.

— Acalme-se, Mademoiselle, acalme-se — Poirot bateu em seu ombro —, só desejamos umas palavras de verdade. A senhora era a enfermeira encarregada de Daisy Armstrong?

— É verdade... é verdade. Ah, ela era um anjo, um anjinho... e foi levada por aquele criminoso, tratada com crueldade... e sua pobre mãe... e a outrazinha que nunca viveu... o senhor não compreende... não pode saber... se tivesse estado lá, como eu... se tivesse presenciado a tragédia... Eu devia ter-lhe dito a verdade, hoje de manhã, mas tive medo... medo. Fiquei feliz pelo homem estar morto... por ele não poder mais torturar ninguém... nenhuma criança. Ah, não tenho palavras...

A sueca chorava mais desesperadamente do que nunca. Poirot continuou batendo no seu ombro gentilmente.

— Compreendo. Compreendo tudo. Não lhe farei mais perguntas. Basta ter admitido a verdade. Eu compreendo, fique certa disso.

Soluçando sempre, Greta Ohlsson levantou-se e saiu, esbarrando no homem que entrava. Era o valete, Masterman.

— Espero não estar atrapalhando, senhor. Mas achei melhor vir logo dizer-lhe a verdade. Fui soldado do coronel Armstrong na guerra e depois seu valete em Nova

York. Estou com medo por ter escondido este fato hoje de manhã. Foi errado da minha parte, senhor, e achei melhor vir esclarecer. Mas espero, senhor, que não esteja suspeitando de Tônio. O velho Tônio, senhor, não mataria uma mosca. Posso jurar que ele não saiu da cabina por toda a noite passada. Assim, o senhor vê, ele não poderia tê-lo feito. Tônio pode ser um estrangeiro, senhor, mas é uma criatura muito boa... muito diferente daqueles italianos sobre os quais a gente vive lendo.

O valete calou-se. Poirot olhou-o fixamente.

— É tudo o que tem a dizer?

— É tudo, senhor.

O valete esperou que o detetive dissesse mais alguma coisa, mas como ele se mantivesse calado, curvou-se e, depois de um momento de hesitação, deixou o carro-restaurante da mesma maneira que entrara.

— Isto — comentou Constantine — é a coisa mais improvável que eu poderia ver, mesmo num *roman policier*...

— Concordo — disse Bouc. — Dos 12 passageiros do vagão, nove têm alguma ligação com o caso Armstrong. Quem será o próximo, pergunto eu?

— Quase posso responder à pergunta — interrompeu Poirot —, eis aí o seu detetive americano, M. Hardman.

— Será que ele também vem confessar?

Antes que Poirot pudesse responder, o americano chegara à sua mesa. Deu-lhe uma espiadela atenta, sentou-se e disse:

— Afinal, o que está acontecendo neste trem? Está me parecendo um hospício.

— O senhor tem certeza — perguntou Poirot — que não era o jardineiro da casa dos Armstrong?

— Eles não tinham jardim.

— Nem mordomo?

— Eu não tenho jeito para um emprego desses. Não, nunca tive qualquer ligação com a casa dos Armstrong, mas estou a ponto de acreditar ser o único, neste trem, nesta situação.

— Na verdade, é um tanto surpreendente — comentou Poirot.

— *C'est rigolo* — acrescentou Bouc.

— Tem alguma ideia sobre o crime, Mr. Hardman? — inquiriu Poirot.

— Não, senhor. Ele vai me derrubar. Não sei como decifrá-lo. Eles não podem estar todos envolvidos, mas não consigo adivinhar quem é o culpado. Como descobrirá, é o que preciso saber.

— Simplesmente imaginei coisas.

— Então, acredite, o senhor é um grande adivinho. — Hardman reclinou-se na poltrona, olhando Poirot com admiração. — Desculpe-me — disse —, mas ninguém poderia imaginar, olhando para o senhor. Tiro o chapéu para o senhor, M. Poirot.

— É muito bondoso, Mr. Hardman.

— Nada disso. Tinha de cumprimentá-lo.

— Ainda assim, o problema não foi resolvido inteiramente. Podemos dizer com certeza quem matou Ratchett?

— Deixe-me fora — preveniu Hardman — porque não direi nada do que penso. Tudo que sinto é uma admiração natural. Que diz dos outros dois que faltam, a velha senhora americana e a dama de companhia alemã? Será que são as únicas duas inocentes em todo o trem?

— A menos — ressalvou Poirot, sorrindo — que possamos enquadrá-las em nosso pequeno grupo como, diríamos, caseira e cozinheira da família Armstrong.

— Bem, nada no mundo me surpreenderia agora — disse Hardman com uma calma resignação —, uma loucura! Eis o que temos à nossa frente!

— Ah, *mon cher*, isto seria realmente levar a coincidência um pouco longe demais — advertiu Bouc —; eles não podem estar todos metidos nisso.

Poirot observou-o um pouco e respondeu:

— Você não compreende absolutamente nada. Diga, você sabe quem matou Ratchett?

— E você? — respondeu, perguntando, Bouc.

— Ah, sei sim — anuiu Poirot —; já faz algum tempo que sei. É tudo tão claro! Não vejo por que não deduziu também.

Poirot observou Hardman e perguntou:

— E você?

— Não sei — o detetive balançou a cabeça, olhando Poirot curiosamente —, não sei nada. Qual deles?

Poirot calou-se por um minuto, e disse, em seguida:

— Se quiser ajudar, Mr. Hardman, por favor, junte todos aqui. Há, possivelmente, duas soluções para o caso. Quero expor ambas a todos vocês.

9
Poirot propõe duas soluções

Os passageiros foram chegando ao carro-restaurante e ocupando as mesas. Todos apresentavam mais ou menos a mesma expressão de expectativa misturada à apreensão. A sueca continuava chorando, enquanto Mrs. Hubbard a consolava.

— Agora você precisa controlar-se, querida. Tudo estará perfeitamente bem. Não perca a fé. Se um de nós é o assassino, todos sabemos muito bem que não é você. Ninguém seria louco para imaginar isso. Sente aqui e fique calma. Não tenha medo.

Mrs. Hubbard calou-se ao ver Poirot se levantar. O condutor colocou-se perto da porta.

— Posso ficar por aqui, Monsieur?

— Certamente, Michel.

— Messieurs e Mesdames — Poirot pigarreou —, falarei em inglês, pois acho que todos conhecem a língua. Estamos aqui para investigar a morte de Samuel Edward Ratchett, aliás Cassetti. Há duas soluções possíveis para o crime. Vou colocá-las diante dos senhores, e pedirei a M. Bouc e ao dr. Constantine que apontem qual a solução mais certa. Agora todos conhecem os fatos. Ratchett foi encontrado morto a punhaladas esta manhã. Foi visto vivo pela última vez à 0h37, quando falou com o condutor pela porta fechada. Um relógio em seu bolso, encontrado todo quebrado, estava parado à 1h15. O dr. Constantine, que examinou o corpo, acha que a morte ocorreu entre meia-noite e duas da manhã. À 0h30, como sabem, o trem entrou numa nevasca. Depois daquela hora, era impossível a qualquer um deixar o trem. O depoimento de Mr. Hardman, que trabalha para uma agência de detetives de Nova York (várias cabeças voltaram-se para ele), indica que ninguém poderia ter passado pela sua cabina, número 16, no fundo, sem ser visto por ele. Somos então levados à conclusão de que o assassino está entre os passageiros de um vagão em particular, o carro Istambul-Calais. Isto, eu direi, *era* a nossa teoria...

— *Comment?* — interrompeu Bouc, surpreso.

— Mas colocarei agora uma alternativa. É muito simples. Mr. Ratchett tinha um certo inimigo o qual temia. Deu a Mr. Hardman uma descrição dele e contou-lhe da possibilidade de um atentado que provavelmente se daria na segunda noite após a partida. Mas, senhoras e senhores, eu diria que Ratchett sabia muito mais do que falou. O inimigo, como Ratchett esperava, tomou o trem em Belgrado ou Vincovci, pela porta deixada aberta pelo coronel Arbuthnot e MacQueen quando desceram à plataforma. Ele dispunha de um uniforme da Wagon Lit, o qual vestiu sobre suas roupas comuns, e também de uma chave mestra que lhe permitiu ter acesso à cabina de Ratchett, apesar de a porta estar fechada. Ratchett estava sob a influência de uma pílula para dormir. O criminoso o esfaqueou com grande ferocidade e deixou a cabina através da porta que dava para a de Mrs. Hubbard...

— Então — disse Mrs. Hubbard — foi assim.

— Na passagem, atirou a faca dentro da sacola, mas, sem que o soubesse, perdeu um botão do uniforme. Então, saiu da cabina para o corredor. Atirou o uniforme numa mala de uma cabina momentaneamente vazia e, usando roupas comuns, deixou o trem antes da partida pelo mesmo caminho utilizado para entrar.

Notou-se um falatório.

— Que dizer do relógio? — perguntou Hardman.

— É a explicação de tudo. Ratchett esquecera de atrasar o relógio uma hora em Tzaribrod. O relógio continuava a marcar a hora da Europa Oriental, um fuso à frente da Europa Central. Era 0h15 quando foi esfaqueado, e não 1h15.

— Mas esta explicação — comentou Bouc — é absurda. E quem falou com o condutor à 0h37? Era Ratchett ou o assassino?

— Não necessariamente. Pode ter sido uma terceira pessoa. Alguém que tivesse ido falar com Ratchett e encontrou-o morto. Tocou a campainha para chamar o condutor, mas arrependeu-se, pensando que poderia ser acusado do crime. Assim, falou, fingindo ser Ratchett.

— *C'est possible* — admitiu Bouc.

— Mas — Poirot voltou-se para Mrs. Hubbard — Madame ia dizendo qualquer coisa...

— Não sei bem o que ia dizer. Acha que esqueci também de atrasar o meu relógio?

— Não, Madame, acho que a senhora ouviu o homem passar, mas inconscientemente; mais tarde, teve um pesadelo com um homem que estava na sua cabina, levantou-se e chamou o camareiro.

— Sim, creio ser possível.

— Como explica — a princesa Dragomiroff foi incisiva — o depoimento de minha dama de companhia?

— Muito simples, Madame. Ela reconheceu o lenço que eu lhe mostrei e tentou protegê-la. Ela encontrou o homem... porém mais cedo... enquanto o trem estava na estação de Vincovci. Fingiu tê-lo visto mais tarde, a fim de fornecer-lhe um álibi.

— O senhor — a princesa inclinou a cabeça — pensou em tudo, Monsieur. Eu... eu o admiro.

Fez-se silêncio por um momento, e então todos se voltaram para o dr. Constantine, que acabava de dar um murro na mesa.

— Não, não e não! Esta explicação é inconsistente. Há uma dúzia de pontos na qual é falha. M. Poirot sabe que a coisa não foi assim.

—Vejo — Poirot lançou-lhe um olhar estranho — que terei de apresentar-lhe minha segunda solução. Mas não abandone esta tão abruptamente. Poderá concordar com ela mais tarde.

Voltou-se novamente para o grupo.

— Há outra explicação possível para o crime. Tendo ouvido todos os depoimentos, enumerei alguns pontos que me chamaram a atenção em especial, e relatei-os aos meus colegas. Alguns já estão elucidados, como por exemplo a mancha de tinta em um passaporte etc. Passarei rapidamente pelos que persistem. O primeiro e mais importante é uma observação que me foi feita pelo M. Bouc no carro-restaurante durante o almoço no primeiro dia de viagem após Istambul... relaciona-se com a heterogeneidade do grupo aqui reunido, representando todas as classes e nacionalidades. Concordei com ele, mas fiquei pensando onde se poderia ter tanta gente assim, sob outras condições. E a resposta veio prontamente... na América, apenas. Nos Estados Unidos poderia haver uma criadagem composta de tantas nacionalidades... um motorista italiano, uma governanta inglesa, uma enfermeira sueca, uma dama de companhia francesa etc. Isto me levou a armar um esquema de palpites, isto é, colocar cada pessoa num lugar do caso Armstrong, da mesma maneira que um produtor organiza o elenco para uma peça. Bem, isto deu um resultado extremamente satisfatório. Além disso, examinei na minha mente cada um dos depoimentos, com alguns resultados curiosos. Tomemos o de MacQueen. Minha primeira entrevista com ele foi inteiramente satisfatória. Mas, na segunda, ele fez uma observação um tanto estranha. Eu havia descrito para ele a descoberta da carta mencionando o caso Armstrong. Ele disse: "Mas é claro...", depois fez uma pausa e prosseguiu: "Quero dizer, foi muito descuido do velho." Senti que não era aquilo o que ele ia dizendo. Suponhamos que queria dizer: "Mas claro que ela foi queimada." Nesse caso, MacQueen sabia da carta e da sua destruição... em outras palavras: ou ele era o assassino ou seu cúmplice. Muito bem. Em seguida, o valete. Ele disse que seu patrão tinha o hábito de tomar uma pílula para dormir, quando viajava de trem. Mas teria ele tomado alguma coisa na noite passada? A pistola sob seu travesseiro denunciou a mentira. Ratchett pretendia ficar bem acordado. Se algum soporífero lhe fosse administrado, teria sido sem o seu conhecimento. Por quem? Obviamente por MacQueen ou pelo valete. Agora chegamos ao depoimento de Mr. Hardman. Acreditei em tudo o que se referia à sua identidade, mas quando ele me falou do método utilizado para vigiar M. Ratchett sua história tornou-se absurda. A única maneira pela qual se poderia realmente proteger Ratchett seria passando a noite com ele, na cabina ou em algum lugar de onde fosse possível vigiar-lhe a porta. A única coisa que seu depoimento revelou foi que ninguém, em qualquer outra parte do trem, poderia ter assassinado Ratchett. Isto circunscreveu o caso ao carro Istambul-Calais. Tudo me pareceu um tanto inexplicável, e eu coloquei o fato de lado para pensar nele depois. Provavelmente, todos já sabem que ouvi parte de uma conversa entre Miss Debenham e o coronel Arbuthnot. O que me chamou a atenção foi que o coronel chamou-a de Mary, evidenciando a intimidade de suas relações com ela. Mas o coronel, ao que se supunha, só a conhecera havia poucos dias... e eu sei como são os ingleses do tipo do coronel. Mesmo que tivesse se apaixonado pela jovem à primeira vista, ele teria ido devagar e com decoro. Assim, concluí que os dois se conheciam havia bastante tempo, mas por alguma razão fingiram-se de estranhos um para o outro. Outro detalhe foi a familiaridade de Miss Debenham com a expressão *long distance* para uma ligação telefônica. Isto só é usado nos Estados Unidos, onde Miss Debenham dissera nunca ter estado. Passando a outra testemunha: Mrs. Hubbard nos disse que, deitada na cama, não poderia ver se a porta de intercomunicação estava ou não trancada, e por isso pediu a Miss Ohlsson para verificar. Isto seria perfeitamente verdade se ela estivesse nas cabinas 2, 4 ou 12 ou qualquer número par, pois nelas o trinco fica sob a maçaneta... Nos números ímpares, como na cabina 3, que ocupava, o trinco fica acima da maçaneta e não pode ser escondido por uma sacola dependurada nela. Concluí que Mrs. Hubbard estava inventando um incidente que nunca ocorrera. E agora, deixem-me dizer algumas palavras sobre *tempo*. Para mim, o detalhe interessante a respeito do relógio é o lugar onde ele foi colocado, ou seja, o bolso do pijama de Ratchett, onde o incomodaria. Principalmente levando-se em conta o tipo de relógio, apropriado para pendurar na cabeceira da cama. Assim, é claro que o relógio fora colocado ali de propósito. O crime, então, não ocorreu à 1h15. Foi praticado antes. Para ser exato, à 0h37? Meu amigo Bouc adiantou um argumento em favor do barulho que me acordou. Mas se Ratchett estava drogado não poderia ter gritado. Se pudesse, também poderia ter tentado se defender, e não havia sinais de luta. Lembro-me de MacQueen, chamando-me a atenção por duas vezes para o fato de que Ratchett não falava francês. Cheguei à conclusão de que tudo o que aconteceu à 0h37 era uma comédia levada à cena exclusivamente para mim. E isso se comprova com a farsa do relógio. Eles acharam que eu a colocaria de lado e, confiando na minha inteligência, acreditaria que, como Ratchett não falava francês, a voz que ouvi à 0h37 não era a dele, e que Ratchett já estava morto. Mas estou certo de que, à 0h37, Ratchett estava dormindo, drogado. No entanto, o artifício deu certo. Abri a porta da cabina e olhei para fora. Na verdade, ouvi a frase pronunciada em francês. Se eu não pudesse entender que Ratchett seria incapaz de usar aquela expressão, até MacQueen poderia chegar e dizer-me isso. Bem, então a que horas se deu o crime? E quem o matou? Em minha opinião, e isto é apenas uma opinião, Ratchett foi morto muito perto das duas horas, já no limite que nos foi dado pelo doutor. Quanto a quem o matou...

Poirot fez uma pausa, observando a plateia. Não poderia reclamar de falta de atenção. Todos os olhares se fixavam nele. Naquele silêncio, poderia ser ouvido o barulho da queda de um pingo d'água. O detetive prosseguiu:

— Fui surpreendido pela impossibilidade de provar qualquer coisa contra qualquer dos ocupantes do trem, e pela estranha coincidência de, em todos os casos, os álibis terem sido apresentados pelo que chamamos de pessoas não prováveis. Assim, Mr. MacQueen e o coronel Arbuthnot forneceram-se álibis mutuamente... duas pessoas que dificilmente tinham tido antes qualquer tipo de ligação. O mesmo aconteceu com o valete inglês e o italiano, a senhora sueca e a jovem inglesa. Disse a mim mesmo: mas isto é extraordinário... não podem estar todos metidos nisso. Mas então, senhores, veio-me a luz. Todos estavam envolvidos. Não é possível a coincidência de todas as pessoas ligadas ao caso Armstrong estarem viajando no mesmo carro. Não, coincidência não. Premeditação. Lembro-me de uma observação do coronel Arbuthnot sobre júri e julgamento. Um júri se compõe de 12 pessoas: havia 12 passageiros, e Ratchett foi esfaqueado 12 vezes. E explicou-se então por que o carro Istambul-Calais estava lotado nesta época do ano. Ratchett escapou à Justiça nos Estados Unidos. Não havia dúvida sobre a sua culpabilidade. Visualizei um júri autodeterminado que o condenara à morte e que, pelas circunstâncias, acabara transformando-se também nos seus carrascos. E, imediatamente, todo o caso se resolveu. Vi-o como um perfeito mosaico, cada pessoa desempenhando a sua parte. A coisa foi planejada de tal maneira que, se alguém caísse em suspeita, o testemunho da outra o liberaria e confundiria o caso. O depoimento de Hardman era necessário se alguém de fora fosse suspeito e não pudesse produzir um álibi. Os passageiros do carro de Istambul não corriam perigo. Cada detalhe do seu depoimento tinha sido estabelecido de antemão. Tudo foi armado como uma charada. Quanto mais se procurasse uma solução, mais as coisas se complicariam. Como disse meu amigo Bouc, o caso todo parecia impossível. E isto era exatamente o que se queria. Isto soluciona tudo? Sim. A natureza dos ferimentos... cada um desfechado por uma pessoa diferente. As cartas de ameaça, artificiais, porque irreais, escritas apenas para produzir pistas. (Sem dúvida houve cartas verdadeiras, avisando Ratchett do seu destino, mas MacQueen as destruiu, substituindo-as por outras.) Então a história de Hardman... uma mentira do princípio ao fim... a descrição do homem baixo com voz afeminada, conveniente, pois não incriminava nenhum dos verdadeiros condutores da Wagon Lit e poderia aplicar-se tanto a um homem quanto a uma mulher. A ideia de esfaquear parece inicialmente estranha, mas, se pensarmos bem, ela se enquadra muito bem nas circunstâncias. Uma faca era uma arma que poderia ser usada por qualquer um... fraco ou forte... sem fazer barulho. Creio, embora possa estar errado, que todos entraram na cabina de Ratchett pela de Mrs. Hubbard e cada um desferiu o seu golpe. Ninguém saberia qual dos golpes matou Ratchett. A última carta recebida por Ratchett foi cuidadosamente queimada. Sem uma pista para levar ao caso Armstrong, não haveria absolutamente razão para se suspeitar de qualquer dos passageiros. Seria encarado como trabalho de fora, e provavelmente o homem baixo de voz afeminada teria sido visto por um ou mais passageiros abandonando o trem em Brod. Não sei exatamente o que aconteceu quando descobriram que parte do plano caíra por terra devido à nevasca e à parada do trem. Houve, creio, uma reunião, decidindo-se prosseguir. Na verdade, agora cada um e todos os passageiros seriam suspeitos, mas esta possibilidade já fora examinada. A única coisa adicional a fazer era aumentar a confusão. Duas pistas falsas foram deixadas na cabina do morto, uma incriminando o coronel Arbuthnot (que possui um excelente álibi e cuja ligação com a família Armstrong era quase impossível de constatar-se) e a outra, o lenço, incriminando a princesa Dragomiroff, protegida por sua posição social, virtude, físico frágil e um álibi fornecido por sua dama de companhia. Além disso, para aumentar a confusão, inventou-se a mulher de robe vermelho. Mais uma vez tenho de suportar a existência da mulher. Levanto-me e olho... vejo o robe vermelho desaparecendo ao longe... E mais gente, o condutor, Miss Debenham e MacQueen, confirma tê-lo visto. Alguém bem-humorado acabou colocando a peça sobre a minha mala enquanto eu interrogava os passageiros no carro-restaurante. Não sei de onde veio o robe, mas suspeito de que seja da condessa Andrenyi, já que em sua bagagem havia apenas um *négligé* tão delicado que mais parecia um traje de chá do que um traje para dormir. Quando MacQueen percebeu que a carta tão cuidadosamente destruída tinha sido recuperada em parte, e que a palavra Armstrong era exatamente a que restava, ele deve ter passado imediatamente a informação aos demais. Foi quando a posição da condessa Andrenyi ficou em xeque e seu marido tratou de alterar seu passaporte. Mas aí, pela segunda vez, a sorte não os ajudou! Todos concordaram em não confessar sua ligação com a família Armstrong. Sabiam que eu não teria meios imediatos de descobrir a verdade, e sabiam que eu não poderia entrar no assunto, a menos que suspeitasse de alguém em particular. Mas ainda há um detalhe a considerar. Achando correta a minha teoria, e eu estou certo da sua exatidão, então o próprio condutor da Wagon Lit deve ter participado de tudo. Mas isso nos conduz a 13 pessoas, e não 12. Em vez da fórmula usual, entre tantas pessoas, uma é culpada, fiquei com o problema de, em 13 pessoas, descobrir um inocente. Qual? Cheguei a uma estranha conclusão. A de que o inocente seria o que mais culpado parecesse. Refiro-me à condessa Andrenyi. Fiquei impressionado pela firmeza com que seu marido deu-me sua palavra de honra de que ela não havia saído da cabina. E decidi que o conde tomara o lugar de sua mulher. Sendo assim, Pierre Michel era o décimo segundo. Mas como poderia explicar sua cumplicidade? Ele era um homem decente, há muitos anos trabalhando para a companhia... jamais o tipo de homem que participaria de um crime. Mas Pierre Michel deveria estar envolvido no caso Armstrong. Lembrei-me então de que a empregada que se jogou da janela era francesa. Supus que era filha de Pierre Michel. Isto explicaria tudo... até mesmo o local escolhido para o crime. Mais alguém cuja participação no crime não tenha sido esclarecida? Identifico o coronel Arbuthnot como um amigo dos Armstrong. Talvez tenham ido juntos para a guerra. Hildegarde Schmidt trabalhava para a família, talvez como cozinheira. Coloquei uma armadilha na qual ela caiu. Perguntei-lhe se era boa cozinheira. Ela respondeu: "Sim, todas as minhas patroas dizem isto." Mas quando se está empregada como dama de companhia, é difícil que os patrões possam saber se têm ou não uma boa cozinheira. Em seguida, Hardman. Ele parece não pertencer à criadagem dos Armstrong. Só posso imaginar que estivesse noivo da francesa. Falei com ele sobre o charme das mulheres estrangeiras, e mais uma vez obtive a reação que procurava. As lágrimas rolaram pelo seu rosto, e ele fingiu que olhava a neve. Resta, então, Mrs. Hubbard. Ela, permitam-me dizer, desempenhou o papel mais importante do drama. Ocupando a cabina vizinha à de Ratchett, estava mais exposta que todos às suspeitas. Naturalmente não poderia ter um álibi no qual se apoiar. Seria preciso uma artista para desempenhar o papel de uma senhora naturalmente ridícula, norte-americana. Mas havia uma artista ligada ao caso Armstrong... a mãe, Linda Arden, a atriz.

O detetive fez uma pausa. Mrs. Hubbard quebrou o silêncio, dizendo, num tom calmo, inteiramente diferente do que usara por toda a viagem:

— Sempre me atrapalhei com papéis em comédias... A história sobre a sacola foi tola. Isto demonstra que tudo requer ensaio... nunca imaginei que os trincos ficassem em posições diferentes... — Voltou-se para Poirot. — O senhor já sabe de tudo, M. Poirot. É um homem maravilhoso. Mas duvido que possa imaginar o que foi aquele dia em Nova York. Fiquei como louca de tanta dor, e também os criados... e o coronel Arbuthnot estava lá, também. Era o melhor amigo de John Armstrong.

— Ele salvou-me a vida na guerra — esclareceu o coronel.

— Decidimos então... talvez estivéssemos loucos, não sei... que levaríamos a cabo a sentença da qual Cassetti escapara. Éramos 12, ou melhor, 11... o pai de Susanne estava na França, é claro. Primeiro pensamos em tirar na sorte quem iria fazê-lo, mas, por fim, escolhemos esta maneira. Foi Antônio, o motorista, quem a sugeriu. Mary arranjou os detalhes com MacQueen. Ele adorava Sônia, minha filha, e explicou como Cassetti gastava seu dinheiro para cair fora. Levou muito tempo para aperfeiçoar o plano. Primeiro tivemos de localizar Ratchett. Hardman o conseguiu. Então tivemos de obter os empregos para Masterman e Hector. Conseguimos. Em seguida, consultamos o pai de Susanne. O coronel Arbuthnot exigia que fossem 12. Não gostou muito da ideia da faca, mas concordou ao verificar que ela resolvia vários problemas. Bem, o pai de Susanne concordou prontamente. Susanne era sua filha única. Soubemos por Hector que mais cedo ou mais tarde Ratchett voltaria pelo Expresso do Oriente. Tendo Pierre Michel trabalhando no trem, a oportunidade era boa demais para ser perdida. Além disso, ninguém de fora poderia ser incriminado. Meu genro tinha de saber, é claro, e ele insistiu em vir ao trem com ela. Hector levou Ratchett a escolher para viajar um dia em que Michel estivesse trabalhando. Nós compramos todas as passagens para o carro Istambul-Calais, mas infelizmente não conseguimos uma das cabinas. Estava há muito tempo reservada para um diretor da companhia. Mr. Harris, é claro, não existe. Mas seria horrível ter um estranho na mesma cabina que Hector. E no último momento, veio o senhor...

— Bem — continuou —, o senhor sabe de tudo, agora. Que vai fazer a respeito? Se tiver de divulgar o crime, será que não pode culpar somente a mim? Eu teria esfaqueado 12 vezes o homem. Não apenas devido ao fato de ter sido ele o responsável pela morte de minha filha e neta, como também de uma criança que estaria viva agora. Houve mais do que isso. Houve outra criança antes de Daisy... poderia haver outras no futuro. A sociedade já o condenara; apenas cumprimos a sentença. Não é necessário envolver todos os outros. São todos bons... pobre Michel... e Mary e o coronel... eles se amam...

A voz ecoou pelo vagão, emocionada. A voz que, tantas vezes, concentrara as atenções das plateias de Nova York.

Poirot olhou para o amigo.

—Você é o diretor da companhia, Bouc. Que diz disso?

— Na minha opinião — Bouc pigarreou —, prefiro a primeira teoria. Sugiro que seja a solução que ofereceremos à polícia iugoslava quando ela chegar. Concorda, doutor?

— Certamente concordo — disse Constantine —, no que toca aos aspectos médicos, acho er... que fiz uma ou outra sugestão fantástica.

— Então — disse Poirot —, tendo colocado minha solução diante dos senhores, tenho a honra de desligar-me do caso...

Sobre a autora

Agatha Christie nasceu em Torquay, cidade da Inglaterra, em 1890, e tornou-se a romancista mais vendida de todos os tempos. Escreveu oitenta romances e coletâneas de contos, além de mais de uma dúzia de peças, incluindo *A ratoeira*, peça que ficou mais tempo em cartaz na história teatral. Agatha também escreveu sua autobiografia, publicada no Brasil em 1977. Embora seu nome seja sinônimo de ficção policial, a extensão dos temas em seus romances é extraordinária, e Agatha realmente merece um lugar de destaque como uma das mais queridas escritoras de todos os tempos.

Seu sucesso permanente, ampliado pelas inúmeras adaptações para o cinema e para a tevê, é um tributo ao eterno fascínio de seus personagens e à absoluta engenhosidade de suas tramas.

Agatha Christie morreu em 1976, aos 85 anos, de causas naturais.

Surpreso com o desfecho desse mistério?

Não deixe de conferir outros desafios que
a Rainha do Crime preparou para seus detetives:

A maldição do espelho (Miss Marple)
A mansão Hollow (Hercule Poirot)
Cem gramas de centeio (Miss Marple)
Morte na Mesopotâmia (Hercule Poirot)
Morte no Nilo (Hercule Poirot)
Nêmesis (Miss Marple)
O mistério dos sete relógios
Os crimes ABC (Hercule Poirot)
Os elefantes não esquecem (Hercule Poirot)
Os trabalhos de Hércules (Hercule Poirot)
Um corpo na biblioteca (Miss Marple)

Este livro foi impresso em 2022 para a
HarperCollins Brasil.
A fonte usada no miolo é Bembo, corpo 10.